L'éléphant
du magicien

De la même auteure :

Winn-Dixie

L'odyssée miraculeuse d'Édouard Toulaine

La quête de Despereaux

Mercy Watson à la rescousse

Mercy Watson en balade

Mercy Watson – princesse d'un jour

Mercy Watson combat le crime

Mercy Watson se paie du bon temps

Une grande joie

L'éléphant du magicien

Kate DiCamillo

Illustrations de
Yoko Tanaka

Texte français d'Hélène Pilotto

Éditions
SCHOLASTIC

Catalogage avant publication de Bibliothèque et Archives Canada

DiCamillo, Kate

L'éléphant du magicien / Kate DiCamillo ;
illustrations de Yoko Tanaka ; texte français d'Hélène Pilotto.

Traduction de : The magician's elephant.
ISBN 978-1-4431-0160-8

I. Tanaka, Yoko II. Pilotto, Hélène III. Titre.

PZ23.D51El 2010   j813'.6   C2009-907245-9

Édition publiée par les Éditions Scholastic,
604, rue King Ouest, Toronto (Ontario) M5V 1E1,
avec la permission de Walker Books Ltd.

5 4 3 2 1   Imprimé au Canada   121   10 11 12 13 14

Le texte de ce livre a été composé
avec la police de caractères Pabst Oldstyle.

Les illustrations ont été créées à l'acrylique.

Pour H. S. L. et A. M. T.
Ils guident mes pas.
K. D.

Pour Daniel Favini, qui m'est apparu comme
par magie et a fait resplendir ma vie.
Y. T.

Chapitre un

L'histoire se passe à la fin du siècle précédant
le dernier. Sur la place du marché de la ville de
Baltèse se tient un garçon avec un chapeau sur la
tête et une pièce de monnaie dans la main. Il se
nomme Pierre Auguste Duchêne et la pièce qu'il
tient ne lui appartient pas. Elle lui a été donnée par
son tuteur, un vieux soldat du nom de Vilna Lutz,
qui l'a envoyé au marché chercher du poisson et du
pain.

Ce jour-là, sur la place du marché, au milieu des étals parfaitement banals et tout à fait ordinaires des poissonniers, des marchands de tissu, des boulangers et des orfèvres, se dresse la tente rouge d'une diseuse de bonne aventure, apparue là sans tambour ni trompette. Sur cette tente, une feuille de papier est fixée et, tracé d'une écriture serrée mais pleine d'assurance, on peut y lire le message suivant : *Les questions les plus complexes et les plus difficiles formulées par l'esprit ou le cœur humain trouveront une réponse ici, pour la somme d'un florit.*

Pierre lit l'affichette une fois, puis une autre fois. L'audace de ces mots, la promesse étourdissante de cette phrase lui fait un tel effet qu'il a soudainement de la difficulté à respirer. Il baisse les yeux sur la pièce de monnaie, le seul et unique florit, qu'il tient dans sa main.

« Je ne peux pas faire ça, pense-t-il. Je ne peux vraiment pas, car si je le fais, Vilna Lutz me demandera où est passé l'argent et je devrai mentir, et il est tout à fait malhonnête de mentir. »

Il enfouit la pièce dans sa poche. Il ôte son chapeau de soldat, puis le remet sur sa tête. Il s'éloigne de l'affichette, puis y revient et se remet à songer, une fois encore, à ces mots atroces et merveilleux.

— Je dois pourtant savoir, finit-il par dire en sortant le florit de sa poche. Je veux connaître la vérité. Alors, je vais le faire. Mais je ne mentirai pas à ce sujet, comme ça, je demeurerai une personne honnête, du moins en partie.

Sur ces mots, Pierre entre sous la tente et tend sa pièce de monnaie à la diseuse de bonne aventure.

La femme, sans même le regarder, déclare :

— Un florit vous permet d'obtenir une réponse, une seule et unique. Vous comprenez?

— Oui, répond Pierre.

Il se tient debout sur la petite tache de lumière qui s'est frayé un chemin à l'intérieur de la tente par le pan resté entrouvert. Il laisse la diseuse de bonne aventure prendre sa main. Elle l'examine attentivement. Ses yeux se promènent sur la paume comme si une multitude de mots minuscules y étaient inscrits, comme si l'histoire complète de Pierre Auguste Duchêne y était racontée.

— Hum, fait-elle enfin en laissant tomber sa main et en le dévisageant, les yeux plissés. Mais bien sûr, tu n'es encore qu'un garçon.

— J'ai dix ans, déclare Pierre.

Il retire son chapeau et se redresse pour paraître aussi droit et aussi grand que possible en déclarant :

— Et je m'entraîne pour devenir un soldat, brave et loyal. Mais peu importe mon âge. Vous avez pris mon florit, vous me devez donc une réponse à présent.

— Un soldat brave et loyal? répète la diseuse de bonne aventure.

Elle ricane, crache par terre et reprend :

— Très bien, soldat brave et loyal, si tu le dis, je te crois. Pose-moi ta question.

Pierre a un pincement au cœur; la peur le tenaille. Et si, après tout ce temps, il ne supportait pas d'entendre la vérité? Et si, dans le fond, il ne voulait pas vraiment connaître la vérité?

— Parle, ordonne la diseuse de bonne aventure. Quelle est ta question?

— Mes parents, commence Pierre.

— C'est ta question? demande la diseuse de bonne aventure. Ils sont morts.

Les mains de Pierre se mettent à trembler.

— Ce n'est pas ma question, proteste-t-il. Ça, je le savais déjà. Vous devez me dire quelque chose que j'ignore. Vous devez me parler d'une autre... vous devez me dire...

La diseuse de bonne aventure plisse les yeux.

— Ah, fait-elle. Elle? Ta sœur? C'est ça ta question? Très bien. Elle est vivante.

Pierre a un coup au cœur en entendant ces mots. *Elle est vivante. Elle est vivante!*

— Non, s'il vous plaît, reprend Pierre.

Il ferme les yeux. Il se concentre et dit :

— Si elle est vivante, alors je dois la retrouver. Ma question est donc : Comment puis-je me rendre à l'endroit où elle se trouve?

Il garde les yeux fermés et attend.

— L'éléphante, répond la diseuse de bonne aventure.

— Quoi? s'écrie Pierre.

Il ouvre les yeux, certain d'avoir mal entendu.

— Tu dois suivre l'éléphante, répète la diseuse de bonne aventure. Elle te mènera à cet endroit.

Le cœur de Pierre, qui était monté bien haut à l'intérieur de sa poitrine, redescend maintenant à sa place habituelle, lentement. Le garçon met son chapeau sur sa tête.

— Vous vous moquez de moi, dit-il. Il n'y a pas d'éléphants ici.

— Exact, répond la femme. C'est la pure vérité, du moins pour l'instant. Mais peut-être n'as-tu pas remarqué : la vérité change constamment.

Elle lui fait un clin d'œil et ajoute :

— Attends un peu. Tu verras bien.

Pierre sort de la tente. Le ciel est gris et lourd de nuages, mais partout autour de lui, les gens parlent et rient. Les marchands crient, les enfants pleurent et un mendiant flanqué d'un chien noir se tient au milieu de ce brouhaha et chante une chanson qui parle de l'obscurité.

Il n'y a pas un seul éléphant en vue.

Malgré tout, le cœur obstiné de Pierre ne veut pas se taire. Il ne cesse de scander encore et encore les trois mots simples, et pourtant impossibles : *Elle est vivante, elle est vivante, elle est vivante.*

Serait-ce possible?

Non, ce n'est pas possible, car cela signifierait que Vilna Lutz lui a menti et ce n'est pas du tout une chose honorable pour un soldat, et encore moins pour un officier supérieur, que de mentir. À coup sûr, Vilna Lutz ne mentirait pas. Il est certain qu'il ne le ferait pas.

N'est-ce pas?

— C'est l'hiver, chante le mendiant. Il fait sombre et froid, et les choses ne sont pas telles qu'elles semblent l'être, et la vérité change constamment.

— Je ne connais pas la vérité, dit Pierre, mais je sais que je dois me confesser. Je dois raconter à

Vilna Lutz ce que j'ai fait.

Il redresse les épaules, ajuste son chapeau et se dirige vers la longue route qui le ramènera aux appartements La Polonaise.

Pendant qu'il marche, la nuit tombe sur l'après-midi hivernal, la lumière grise cède le pas à l'obscurité et Pierre songe : *La diseuse de bonne aventure ment. Non, Vilna Lutz ment. Non, c'est la diseuse de bonne aventure qui ment. Non, non, c'est Vilna Lutz...* et cela dure tout le trajet du retour.

Lorsqu'il arrive aux appartements La Polonaise, il gravit très lentement les marches jusqu'au logis du grenier, posant un pied devant l'autre avec soin et songeant à chaque pas : *Il ment. Elle ment. Il ment. Elle ment.*

Le vieux soldat l'attend, assis sur une chaise près de la fenêtre, à la lueur d'une seule chandelle, les plans d'une bataille étalés sur ses genoux, son ombre démesurée dansant sur le mur derrière lui.

— Tu es en retard, soldat Duchêne, déclare Vilna Lutz. Et tu reviens les mains vides.

— Monsieur, dit Pierre en ôtant son chapeau,

je n'ai ni poisson ni pain. J'ai donné l'argent à une diseuse de bonne aventure.

— Une diseuse de bonne aventure? répète Vilna Lutz. Une diseuse de bonne aventure!

De son pied gauche, celui qui est en bois, il tape sur le plancher et répète :

— Une diseuse de bonne aventure? Tu me dois une explication.

Pierre ne dit rien.

Tap, tap, tap fait le pied en bois de Vilna Lutz, *tap, tap, tap*.

— J'attends, dit-il. Soldat Duchêne, j'attends tes explications.

— C'est que, j'ai des doutes, monsieur, dit Pierre. Et je sais que je ne devrais pas avoir de doutes...

— Des doutes! Des doutes? Explique-toi.

— Monsieur, je ne peux pas m'expliquer. J'ai essayé sans arrêt en venant ici. Je ne suis arrivé à aucune explication satisfaisante.

— Très bien. Dans ce cas, dit Vilna Lutz, si tu permets, je vais le faire à ta place. Tu as dépensé de l'argent qui ne t'appartenait pas. Tu l'as dépensé de façon frivole. Tu as agi de façon déloyale. Tu seras puni. Tu iras au lit sans ta ration du soir.

— Monsieur, oui, monsieur, répond Pierre tout en restant planté devant Vilna Lutz, le chapeau à la main.

— Y a-t-il autre chose que tu désires me dire?

— Non. Oui.

— Quelle est la réponse, je te prie? Non ou oui?

— Vous, monsieur, avez-vous déjà raconté un mensonge? demande Pierre.

— Moi?

— Oui, dit Pierre. Vous, monsieur.

Vilna Lutz se redresse sur sa chaise. Il lève une main et caresse sa barbe, en suivant son contour du bout des doigts pour s'assurer que les poils sont placés bien comme il faut, qu'ils se rejoignent en une pointe fine, à l'allure toute militaire. Enfin, il dit :

— Toi qui dépenses de l'argent qui n'est pas le tien... toi qui dépenses l'argent des autres comme un imbécile... toi, tu viens me parler, à moi, de mensonge?

— Je suis désolé, monsieur, dit Pierre.

— J'espère bien que tu l'es, réplique Vilna Lutz. Tu peux te retirer.

Vilna Lutz ramasse ses plans de bataille. Il les soulève devant la lumière de la chandelle et se met à marmonner :

— Alors, ce doit être ainsi, et puis… ainsi.

Plus tard ce soir-là, quand la chandelle est éteinte, que la pièce est plongée dans le noir et que le vieux soldat ronfle dans son lit, Pierre Auguste Duchêne s'allonge sur son grabat à même le sol et fixe le plafond en songeant : *Il ment. Elle ment. Il ment. Elle ment.*

Quelqu'un ment, mais j'ignore qui.

Si elle ment, avec son histoire d'éléphante complètement ridicule, alors je suis un imbécile comme Vilna Lutz l'a dit… un imbécile qui croit qu'une éléphante va apparaître et le mener jusqu'à sa sœur qui est morte.

Mais s'il ment, alors cela signifie que ma sœur est en vie.

Son cœur se met à battre la chamade.

S'il ment, alors Adèle est vivante.

— J'espère qu'il ment, dit Pierre à voix haute dans l'obscurité.

Et son cœur, ébranlé par l'idée d'une telle trahison, étonné par l'évocation à voix haute d'un sentiment aussi indigne pour un soldat, se remet à battre la chamade, encore plus fort cette fois.

Non loin des appartements La Polonaise, par-delà les toits et à travers l'obscurité de cette nuit d'hiver, s'élève l'édifice de l'opéra Bliffendorf. Ce soir-là, sur la scène de l'opéra, un magicien d'âge mûr, et dont la renommée se ternit, exécute le tour de magie le plus époustouflant de toute sa carrière.

Il a l'intention de faire apparaître un bouquet de lis, mais au lieu de cela, le magicien fait apparaître une éléphante.

Dans une pluie de poussière de plâtre et de tuiles, l'éléphante fracasse le plafond de l'opéra et atterrit sur les jambes d'une aristocrate, une certaine madame Bettina LaVaughn, à qui le magicien destinait le bouquet.

Mme LaVaughn se fait écraser les jambes, si bien qu'elle se retrouve coincée dans un fauteuil roulant. Depuis, elle est réputée pour s'exclamer souvent, d'une voix teintée d'émerveillement, au milieu d'une conversation n'ayant rien à voir avec les éléphants ni les toits : « Peut-être ne comprenez-vous pas, mais une éléphante m'a rendue invalide ; une éléphante qui a fracassé le toit en tombant du ciel ! »

Quant au magicien, il est immédiatement jeté en prison, sur ordre de Mme LaVaughn.

L'éléphante aussi est emprisonnée.

On l'enferme dans une écurie. On passe une chaîne autour de sa cheville gauche. La chaîne est reliée à une tige en fer enfoncée solidement dans le sol.

Au début, l'éléphante ne ressent qu'une chose et une seule : des étourdissements. Si elle tourne la tête trop rapidement vers la droite ou vers la gauche, elle a l'impression que le monde autour d'elle tourbillonne d'une manière véritablement alarmante. Alors, elle ne tourne pas la tête. Elle ferme les yeux et les garde clos.

Il y a tout un tapage et un brouhaha autour d'elle. L'éléphante tente de l'ignorer. Elle souhaite seulement que le monde s'immobilise enfin.

Après quelques heures, les étourdissements cessent. L'éléphante ouvre les yeux, regarde autour d'elle et se rend compte qu'elle ne sait pas où elle se trouve.

Elle n'est sûre que d'une chose.

Cet endroit n'est pas celui où elle devrait être.

Cet endroit n'est pas familier ; elle n'est pas chez elle.

Chapitre deux

Le lendemain de l'arrivée de l'éléphante, Pierre se retrouve encore une fois sur la place du marché. La tente de la diseuse de bonne aventure a disparu et Pierre s'est à nouveau vu confier un florit. Le vieux soldat lui a expliqué en long et en large, et avec force détails, ce qu'il doit acheter avec ce florit. D'abord du pain, mais ce doit être du pain vieux d'au moins un jour, préférablement de deux, mais l'idéal serait du pain vieux de trois jours, s'il parvient à en trouver.

— À vrai dire, regarde si tu ne trouverais pas du pain avec de la moisissure dessus, avait dit Vilna Lutz. Manger du vieux pain est une excellente préparation à la vie de soldat. Les soldats doivent s'habituer au pain dur comme de la roche et difficile à mâcher. Cela endurcit les dents. Et des dents solides rendent le cœur solide, et de ce fait, le soldat plus brave. Oui, oui, je crois que c'est vrai. Je sais que c'est vrai.

Le lien entre le pain dur, les dents solides et un cœur solide demeure un mystère pour Pierre. Mais ce matin-là, pendant que Vilna Lutz lui parle, il devient de plus en plus évident qu'une fois de plus, le vieux soldat est victime d'une fièvre et qu'il n'a pas toute sa tête.

— Tu dois demander deux poissons au poissonnier et pas plus, lui rappelle Vilna Lutz.

La sueur brille sur son front. Sa barbe est détrempée.

— Demande-lui de te donner les plus petits. Demande-lui ceux que les gens ne veulent pas. Tiens, demande-lui de te donner ces poissons que les autres poissons sont gênés d'appeler des poissons ! Reviens avec les poissons les plus petits, mais surtout — surtout, je le répète — ne reviens pas les mains vides avec des mensonges de diseuse de bonne aventure plein la bouche ! Je me reprends ! Je me reprends ! Dire « des mensonges de diseuse de bonne aventure », c'est une redondance. Ce qui sort de la bouche des diseuses de bonne aventure, ce sont, par définition, des mensonges, et toi, soldat Duchêne, tu dois, tu dois trouver les plus petits poissons possible.

Pierre se retrouve donc sur la place du marché, en file devant l'étal du poissonnier, et il songe à la diseuse de bonne aventure, à sa sœur, aux éléphants, aux accès de fièvre et aux poissons exceptionnellement petits. Il réfléchit aussi aux mensonges, à ceux qui en racontent et à ceux qui n'en racontent pas, et à ce que cela signifie d'être un soldat, honnête et loyal. Avec tout ce tourbillon de pensées qui défilent dans sa tête, il n'entend que d'une oreille distraite l'histoire que le poissonnier est en train de raconter à la dame juste devant lui dans la file.

— En fait, il n'était pas un grand magicien, voyez-vous, et personne dans l'assistance ne s'attendait à grand-chose. D'ailleurs, tout est là : les gens ne s'attendaient à rien.

Le poissonnier s'essuie les mains sur son tablier et reprend :

— Il ne leur avait rien promis de particulier et les gens n'attendaient rien de lui non plus.

— De toute façon, qui s'attend à quelque chose de particulier de nos jours? demande la dame. Pas moi. J'ai épuisé mes forces à attendre quelque chose de particulier.

Elle désigne un gros poisson et dit :

— Tenez, donnez-moi un de ces maquereaux, voulez-vous bien?

— Et un maquereau! clame le poissonnier en lançant le poisson sur la balance.

C'est un très gros poisson. Vilna Lutz n'aurait pas approuvé.

Pierre examine l'étalage du poissonnier. Son estomac gronde. Il a faim et il est inquiet. Il ne voit rien d'assez radicalement petit pour satisfaire le vieux soldat.

— Donnez-moi aussi des barbotes, ajoute la dame. Trois barbotes. Je veux celles qui ont de longues moustaches, n'est-ce pas? Elles ont meilleur goût.

Le poissonnier dépose trois barbotes sur la balance.

— En tout cas, poursuit-il, ils étaient tous assis là, la noblesse, les grandes dames, les princes et les princesses, tous réunis à l'opéra, ne s'attendant à rien de particulier. Et que leur est-il arrivé?

— Je n'ose même pas imaginer, répond la dame. Ce qu'il arrive aux gens riches est assurément un mystère pour moi.

Pierre se dandine nerveusement d'un pied sur l'autre. Il se demande ce qui lui arrivera s'il ne rapporte pas à la maison un poisson suffisamment petit. Vilna Lutz est imprévisible lorsqu'il est sous l'emprise de l'une de ses terribles fièvres récurrentes.

— Eh bien, ils ne s'attendaient pas à une

éléphante... ça, c'est certain.

— Une éléphante ! s'exclame la dame.

— Une éléphante ? s'écrie Pierre.

En entendant ce mot impossible sur les lèvres d'une autre personne, il sent un choc secouer son corps, depuis le bout de ses orteils jusqu'au sommet de son crâne. Il a un mouvement de recul.

— Une éléphante ! répète le poissonnier. Elle est passée au travers du plafond de l'opéra et est tombée sur les genoux d'une aristocrate du nom de Mme LaVaughn.

— Une éléphante, murmure Pierre.

— Ha ! fait la dame. Ha, ha ! Cela est absolument impossible.

— Cela est tout à fait possible, réplique le poissonnier. Elle lui a écrasé les jambes !

— Allons, comme c'est drôle ! Mais j'y pense : mon amie Marcelle s'occupe de la lessive de Mme LaVaughn. Comme le monde est petit, ne trouvez-vous pas ?

— Tout à fait, répond le poissonnier.

— Excusez-moi, intervient Pierre vivement,

une éléphante. Une éléphante. Savez-vous ce que vous dites?

— Oui, affirme le poissonnier. Je dis une éléphante.

— Et elle a fracassé le plafond?

— N'est-ce pas ce que je viens tout juste de dire?

— S'il vous plaît, où se trouve cette éléphante à présent? demande Pierre.

— La police l'a incarcérée, répond le poissonnier.

— La police! s'écrie Pierre.

Il porte la main à son chapeau. Il ôte son chapeau, puis le remet, puis l'ôte de nouveau.

— Cet enfant souffrirait-il d'un tic nerveux du chapeau? demande la femme au poissonnier.

— C'est exactement comme l'a dit la diseuse de bonne aventure, poursuit Pierre. Une éléphante.

— Tiens donc, dit le poissonnier. Qui a dit ça?

— C'est sans importance, répond Pierre. Tout ce qui importe, c'est que l'éléphante soit arrivée. Et ce que cela signifie.

— Et que cela signifie-t-il? demande le poissonnier. J'aimerais bien le savoir.

— Qu'elle est vivante, déclare Pierre. Qu'elle est vivante.

— N'est-ce pas formidable? fait remarquer le poissonnier. Nous sommes toujours heureux lorsque les gens sont vivants, n'est-ce pas?

— Bien sûr, et pourquoi pas? répond la femme. Mais ce qui m'intéresse, c'est de savoir ce qu'il est advenu de l'homme par qui tout a commencé. Le magicien : où est-il?

— Ils l'ont emprisonné, déclare le poissonnier. Ils l'ont mis dans la plus misérable des cellules et ils ont jeté la clé.

La cellule de prison où le magicien est confiné est petite et sombre. Mais très haut sur l'un des murs se trouve une fenêtre. La nuit, le magicien étend sa houppelande sur son matelas de paille, s'allonge dessus et contemple l'obscurité du

monde par la fenêtre. La plupart du temps, le ciel est nuageux, mais parfois, si le magicien l'observe assez longtemps, les nuages finissent par se disperser, comme à contrecœur, et par révéler une étoile exceptionnellement brillante.

— Je voulais seulement faire apparaître des lis, déclare le magicien à l'étoile. Telle était mon intention : un bouquet de lis.

À vrai dire, ce n'est pas tout à fait la vérité.

Oui, le magicien avait l'intention de faire apparaître des lis.

Mais debout sur la scène de l'opéra Bliffendorf devant un public indifférent au divertissement qu'il aurait pu leur offrir et qui n'attendait que la fin de son numéro pour que la véritable magie commence (celle qui est produite par un violoniste virtuose), le magicien avait soudainement été frappé, avec une certaine puissance d'ailleurs, par l'idée qu'il avait gâché sa vie.

Ainsi, il avait exécuté ce soir-là le tour pour faire apparaître des lis, mais il avait marmonné en même temps la formule d'un tour que son professeur de magie lui avait enseigné, il y a fort longtemps. Le magicien savait que les paroles étaient puissantes et qu'il était, d'une certaine façon, peu judicieux de les utiliser dans les circonstances. Mais il voulait exécuter quelque chose de spectaculaire.

Et c'est ce qu'il avait fait.

Ce soir-là à l'opéra, avant que le monde entier n'explose sous les cris, le hurlement des sirènes et les accusations, le magicien s'était tenu tout près de l'énorme animal et s'était régalé de son odeur : un mélange de pommes séchées, de papier moisi et de fumier. Il avait allongé le bras, posé une main, une seule main, sur la poitrine de l'animal et senti, l'espace d'un moment, les battements solennels de son cœur.

Ceci, avait-il songé. *J'ai réussi ceci.*

Quand toutes les autorités imaginables (le maire, un duc, une princesse, le commissaire de police) lui avaient ordonné, plus tard ce soir-là, de renvoyer l'éléphante d'où elle venait, de la chasser des lieux, bref en gros, de la faire disparaître, le magicien avait prononcé consciencieusement la formule, ainsi que les mots eux-mêmes, à reculons, comme le tour le nécessitait, mais rien ne s'était passé. L'éléphante était demeurée absolument, catégoriquement et indéniablement là, son unique présence témoignant, telle une évidence indiscutable, des pouvoirs du magicien.

Il avait voulu faire apparaître des lis ; oui, peut-être.

Mais il avait aussi voulu exécuter un tour de magie spectaculaire.

Il avait réussi.

Ainsi, peu importe les paroles qu'il adresse à l'étoile qui brille parfois dans le ciel au-dessus de lui, le magicien n'arrive pas à éprouver de regrets sincères pour ce qu'il a fait.

Il est à noter que l'étoile n'en est pas une, en vérité.

Il s'agit plutôt de la planète Vénus.

Selon les archives, elle aurait brillé d'un éclat particulièrement vif cette année-là.

Chapitre trois

Le commissaire de police de la ville de Baltèse est un homme qui applique la loi à la lettre. Cependant, malgré des consultations répétées et de plus en plus frénétiques du manuel de police, il ne parvient toujours pas à trouver un mot, une syllabe, une lettre qui lui indiquerait la méthode à utiliser lorsqu'on a affaire à un animal sorti du néant, qui a fracassé le toit de l'opéra et rendu invalide une aristocrate.

C'est donc avec beaucoup de réticence que

le commissaire de police se résigne à solliciter l'opinion de ses subordonnés quant au sort à réserver à l'éléphante.

— Monsieur ! clame l'un des jeunes lieutenants. Elle est apparue soudainement, alors peut-être que si nous sommes patients, elle disparaîtra aussi soudainement.

— Est-ce que l'éléphante vous donne l'impression qu'elle a l'intention de disparaître ? demande le commissaire de police.

— Pardon monsieur ? dit le jeune lieutenant. J'ai peur de ne pas comprendre la question, monsieur.

— Je suis tout à fait conscient de votre absence de compréhension, répond le commissaire. Votre absence de compréhension est aussi évidente que l'éléphante, et cela a encore moins de chances de disparaître un jour.

— Oui, monsieur, réplique le lieutenant.

Il fronce les sourcils. Il réfléchit un instant.

— Merci, monsieur. J'en suis sûr, conclut-il.

Cet échange verbal est suivi d'un silence long et pénible. Les policiers réunis grattent le sol du bout de leurs chaussures.

— C'est simple, tente enfin un autre policier. L'éléphante est une criminelle. Elle doit donc être traitée comme une criminelle et punie en tant que telle.

— Mais pourquoi l'éléphante est-elle une criminelle? demande un policier de petite taille arborant une très grosse moustache.

— Pourquoi l'éléphante est-elle une criminelle? répète le commissaire de police.

— Oui, reprend le petit policier qui répond au nom de Léo Matienne, pourquoi? Si le magicien avait lancé une pierre contre un carreau, auriez-vous reproché à la pierre d'avoir fracassé la fenêtre?

— Quel magicien lancerait des pierres? s'insurge le commissaire de police. Et quel genre d'excuse minable est-ce donc que le lancer de pierres pour justifier un tour de magie?

— Vous m'avez mal compris, monsieur, insiste Léo Matienne. Je voulais simplement dire que l'éléphante n'a pas fracassé le toit de l'opéra de son plein gré. Quel éléphant sensé souhaiterait une telle chose? Donc, si elle ne l'a pas souhaité, comment peut-elle être jugée coupable de l'avoir fait?

— Ce que je vous demande, ce sont des solutions concrètes, déclare le commissaire de police en posant ses mains sur sa tête.

— Oui, acquiesce Léo Matienne.

— Je vous demande quelles mesures devraient être prises, continue le commissaire.

Il empoigne ses cheveux à deux mains et tire.

— Oui, dit encore Léo Matienne.

— Et vous me parlez d'éléphants sensés et de ce qu'ils souhaitent? hurle le commissaire.

— Je crois que cela est pertinent, répond Léo Matienne.

— Il croit que cela est pertinent, répète le commissaire. Il croit que cela est pertinent.

Il se tire les cheveux. Son visage devient très rouge.

— Monsieur, intervient un autre policier, et si nous trouvions un endroit où loger l'éléphante, monsieur?

— Oui, approuve le commissaire de police en se tournant vers le policier qui vient de prendre la parole. Pourquoi n'y ai-je pas pensé plus tôt? Envoyons-la immédiatement au Refuge pour les éléphants rebelles entraînés contre leur gré à commettre des actes répréhensibles. C'est juste en bas de la rue, n'est-ce pas?

— Ah oui? s'étonne le policier. Vraiment? Je l'ignorais. Il existe tellement d'organismes de charité louables en cette ère de progrès; tenez, il est devenu pratiquement impossible de tous les répertorier.

Le commissaire tire très fort sur ses cheveux.

— Laissez-moi, dit-il à voix basse. Tous. Je vais résoudre ce problème sans votre aide.

Un par un, les policiers quittent le poste de police.

Le petit policier est le dernier à partir. Il soulève son chapeau en direction du commissaire et dit :

— Je vous souhaite une bonne soirée, monsieur, et j'ose espérer que vous considérerez l'idée que l'éléphante n'est coupable de rien, sinon que d'être une éléphante.

— Laissez-moi, répète le commissaire de police, s'il vous plaît.

— Bonsoir, monsieur, dit encore Léo Matienne. Bonsoir.

Le petit policier rentre chez lui à pied dans l'obscurité de ce début de soirée. Tout en marchant, il siffle une chanson triste et réfléchit au sort de l'éléphante.

À son avis, le commissaire pose les mauvaises questions.

Les questions qui importent, celles qu'il est nécessaire de poser, sont les suivantes : D'où vient l'éléphante? Et que signifie son arrivée dans la ville de Baltèse?

Et si elle n'était que la première d'une série d'éléphants? Et si, un par un, tous les mammifères et les reptiles d'Afrique se mettaient à tomber sur les scènes de tous les opéras d'Europe?

Et qu'arriverait-il si les crocodiles, les girafes et les rhinocéros venaient, eux aussi, fracasser les toits?

Léo Matienne a l'âme d'un poète et, pour cette raison, il aime beaucoup réfléchir aux questions qui sont sans réponses.

Il aime se poser des questions comme « Et si...? » et « Pourquoi ne pas...? » et « Serait-ce possible...? »

Léo arrive en haut de la butte et s'arrête. Plus bas, devant lui, l'allumeur de réverbères allume chaque lanterne qui borde l'avenue majestueuse. Léo Matienne est immobile et il observe les globes prendre vie un à un.

Et si l'éléphante était venue porter un message très important?

Et si l'arrivée de l'éléphante allait tout changer d'une manière irrévocable et incontestable?

Léo reste debout en haut de la butte et attend un long moment, jusqu'à ce que l'avenue qui s'étire sous ses yeux soit tout illuminée, puis il poursuit sa route, descend la côte et suit le chemin éclairé jusque chez lui.

Il siffle tout en marchant.

Et si...? Pourquoi ne pas...? Serait-ce possible...? chante le cœur radieux et curieux de Léo Matienne.

Et si...?

Pourquoi ne pas...?

Serait-ce possible...?

Pierre se tient à la fenêtre du grenier des appartements La Polonaise. Il entend Léo Matienne avant même de le voir; comme toujours d'ailleurs, grâce au sifflement. Pierre entend Léo bien avant de l'apercevoir.

Il attend que le policier soit en vue, puis il ouvre grand la fenêtre et sort la tête. Il crie :

— Léo Matienne, est-ce vrai qu'il y a une éléphante, qu'elle a fracassé le toit et qu'elle est maintenant détenue par la police?

Léo s'immobilise. Il lève les yeux.

— Pierre, dit-il en souriant. Pierre Auguste Duchêne, compagnon résident des appartements La Polonaise, petit coucou du monde du grenier.

Il y a, en effet, une éléphante. C'est vrai. Et il est également vrai que la police la tient sous bonne garde. L'éléphante est emprisonnée.

— Où? demande Pierre.

— Je ne peux le dire, répond Léo Matienne. Je ne peux le dire parce que j'ai bien peur de ne pas le savoir. Vois-tu, la police tient l'affaire dans le plus grand secret, les éléphants étant des criminels tellement dangereux et agressifs.

— Ferme la fenêtre, ordonne Vilna Lutz depuis son lit. C'est l'hiver et il fait froid.

C'est l'hiver, en effet.

Et il fait plutôt froid, cela est vrai aussi.

Mais même en été, lorsqu'il est sous l'emprise de ses fièvres étranges, Vilna Lutz se plaint du froid et ordonne que l'on ferme la fenêtre.

— Merci, dit Pierre à Léo Matienne.

Il ferme la fenêtre, se retourne et regarde le vieil homme.

— De quoi parlais-tu? demande Vilna Lutz. Quelles bêtises criais-tu par la fenêtre?

— Une éléphante, monsieur, répond Pierre.

C'est vrai. Léo Matienne dit que c'est vrai. Une éléphante est arrivée. Il y a une éléphante dans la ville.

— Les éléphants, répète Vilna Lutz. Peuh! Des bêtes imaginaires, les habitants de bestiaires imaginaires, des démons venus d'on ne sait où.

Il retombe sur son oreiller, épuisé par sa diatribe, puis se redresse subitement à nouveau et s'écrie :

— Écoute! Est-ce bien le claquement des mousquets et le grondement des canons que j'entends?

— Non, monsieur, répond Pierre. Vous n'entendez rien.

— Démons, éléphants, bêtes imaginaires.

— Pas imaginaires, reprend Pierre. Réelles. Cette éléphante est réelle. Léo Matienne est un représentant de la loi et il a dit que c'était bien vrai.

— Peuh! réplique Vilna Lutz. Je dis « peuh! » à ce représentant de la loi moustachu et à sa créature imaginaire.

Il retombe sur son oreiller. Il tourne la tête, d'abord d'un côté, puis de l'autre.

— Je les entends, dit-il. J'entends les bruits de combat. La bataille a commencé.

— Alors, dit Pierre à voix basse, ce doit être vrai. Il y a maintenant une éléphante, donc la diseuse de bonne aventure avait raison et ma sœur est vivante.

— Ta sœur? répète Vilna Lutz. Ta sœur est morte. Combien de fois devrai-je te le dire? Elle n'a jamais respiré. Elle n'a pas respiré. Ils sont tous morts. Regarde du côté du champ et tu verras : ils sont tous morts, et ton père est parmi eux. Regarde, regarde! Ton père gît par terre, sans vie.

— Je vois, dit Pierre.

— Où est mon pied? s'écrie Vilna Lutz en balayant la pièce d'un regard furieux. Où est-il?

— Sur la table de chevet.

— Sur la table de chevet, monsieur, le corrige Vilna Lutz.

— Sur la table de chevet, monsieur, répète Pierre.

— Là, dit l'ancien soldat en soulevant le pied. Là, là, mon vieil ami.

Il caresse le pied en bois d'un geste affectueux, puis il laisse sa tête retomber lourdement sur l'oreiller. Il remonte les couvertures jusqu'à son menton.

— Bientôt, dit-il, bientôt, soldat Duchêne, je remettrai le pied et nous nous exercerons à faire des manœuvres, toi et moi. Nous ferons de toi un grand soldat. Tu deviendras un homme pareil à ton père. Tu deviendras, comme lui, un soldat brave et loyal.

Pierre se détourne de Vilna Lutz et regarde par la fenêtre le monde qui s'assombrit. Plusieurs étages plus bas, une porte claque. Puis une autre. Il perçoit le bruit étouffé d'éclats de rire et sait que Léo Matienne est accueilli chez lui par sa femme.

Pierre se demande quelle impression cela peut bien faire d'avoir quelqu'un qui sait que vous reviendrez toujours et qui vous accueille à bras ouverts?

Il se souvient d'avoir été dans un jardin à

la tombée de la nuit. Le ciel était pourpre, les lampadaires avaient été allumés et Pierre était petit. Son père l'avait pris dans ses bras et l'avait lancé en l'air puis l'avait rattrapé, encore et encore. Sa mère était là, elle aussi ; elle portait une robe blanche qui brillait vivement dans le crépuscule pourpre et son ventre était gros et rond comme un ballon.

— Ne le fais pas tomber, avait dit la mère de Pierre à son mari. Ne t'avise surtout pas de le faire tomber.

Elle riait.

— Je ne le ferai pas tomber, avait répondu son père. Je ne pourrais pas. Car il est Pierre Auguste Duchêne et il reviendra toujours vers moi.

Encore et encore, il l'avait lancé dans les airs. Encore et encore, Pierre s'était senti suspendu dans le vide pendant un instant, un court instant, avant de redescendre et de retourner à la douceur de la terre et à la chaleur des bras tendus de son père qui l'attendaient.

— Tu vois ? avait dit son père à sa mère. Tu vois

comme il me revient toujours?

Le logis du grenier des appartements La Polonaise est maintenant plongé dans l'obscurité totale. Dans son lit, le vieil homme se tourne d'un côté, puis de l'autre.

— Ferme la fenêtre, dit-il. C'est l'hiver et il fait froid.

Le jardin qui avait accueilli le père et la mère de Pierre semble bien loin. Tant et si bien que Pierre en vient presque à croire que ce jardin n'a existé que dans un tout autre monde.

Mais s'il faut en croire la diseuse de bonne aventure (et il faut la croire; il le faut), l'éléphante connaît le chemin qui mène à ce jardin. Elle pourrait l'y mener.

— S'il te plaît, répète Vilna Lutz, il faut fermer la fenêtre. Il fait tellement froid; il fait très, très froid.

Chapitre quatre

Cet hiver-là, l'hiver de l'éléphante, se révèle une saison particulièrement rigoureuse pour la ville de Baltèse. Le ciel est couvert de gros nuages bas qui bloquent la lumière du soleil et qui condamnent la ville à subir une suite de jours identiques, tel un long crépuscule ininterrompu et interminable.

Il fait incroyablement froid, un froid inimaginable.

L'obscurité règne partout.

* * *

Mme LaVaughn, invalide et plongée au plus profond de son crépuscule personnel, se met un jour en tête d'aller faire une visite à la prison.

Elle arrive en fin d'après-midi.

Le magicien perçoit le craquement accusateur des roues de son fauteuil roulant que l'on pousse le long du corridor. Néanmoins, quand il voit la noble dame paraître devant lui, les yeux écarquillés et suppliants, une couverture jetée sur ses jambes désormais inutiles et son serviteur debout derrière elle au garde-à-vous, le magicien réussit d'une certaine façon à être chaque fois étonné de sa présence.

Mme LaVaughn s'adresse au magicien.

— Peut-être ne comprenez-vous pas, dit-elle, mais une éléphante est tombée du ciel en fracassant le toit et m'a rendue invalide, invalide !

Le magicien lui répond :

— Madame LaVaughn, je vous assure que je voulais seulement faire apparaître des lis. Seulement un bouquet de lis.

Chaque jour, le magicien et la noble dame se parlent avec une gravité qui fait oublier qu'ils ont échangé les mêmes paroles la veille et l'avant-veille.

Chaque après-midi, le magicien et Mme LaVaughn s'affrontent dans l'obscurité de la prison et échangent exactement les mêmes paroles.

Le serviteur de la noble dame se nomme Hans Ickman et il est à son service depuis l'époque où elle était enfant. Il est son conseiller et son confident, et elle a une confiance absolue en lui.

Cependant, avant d'être au service de Mme LaVaughn, Hans Ickman a vécu dans une petite ville des montagnes avec sa famille : des frères, une mère et un père, ainsi qu'un chien qui n'avait pas son pareil pour franchir d'un bond la rivière qui traversait les bois de l'autre côté de la ville.

La rivière était trop large pour qu'Hans Ickman

ou ses frères la traversent en sautant. Elle était même trop large pour qu'un homme adulte la franchisse d'un bond. Mais le chien s'élançait à toute vitesse et bondissait au-dessus du cours d'eau sans aucune peine. Il s'agissait d'une petite chienne blanche qui n'avait absolument rien d'extraordinaire hormis sa curieuse habileté à sauter la rivière.

Avec les années, Hans Ickman avait complètement oublié la petite chienne; son incroyable habileté était allée s'enfouir au plus profond de sa mémoire. Mais le soir où l'éléphante avait fracassé le plafond de l'opéra, le serviteur s'était souvenu, pour la première fois depuis très longtemps, de la petite chienne blanche.

Debout dans la prison, écoutant l'échange interminable et invariable qui se déroule entre Mme La Vaughn et le magicien, Hans Ickman se met à songer au temps où il était jeune garçon, lorsqu'il attendait avec ses frères sur le bord de la rivière et qu'il regardait la chienne s'élancer à toute vitesse, puis se propulser en l'air. Il se rappelle comment, à mi-parcours, elle exécutait toujours un mouvement de torsion, un petit geste inutile, un sursaut de joie, qui exprimait combien cet exploit était facile pour elle.

Mme LaVaughn dit :

— Mais peut-être ne comprenez-vous pas?

Le magicien dit :

— Je voulais seulement faire apparaître des lis.

Hans Ickman ferme les yeux et se remémore la chienne suspendue dans l'air au-dessus de la rivière, son corps blanc flamboyant sous la lumière du soleil.

Mais quel était donc son nom? Il n'arrive pas à s'en souvenir. L'animal avait disparu et son nom avait disparu avec lui. La vie est si courte; tant de belles choses passent et disparaissent. Par exemple, où sont ses frères à présent? Il ne le sait pas; il ne saurait le dire.

Mme LaVaughn dit :

— J'ai été écrasée, écrasée par une éléphante.

Le magicien dit :

— Je voulais seulement...

— S'il vous plaît, intervient Hans Ickman en ouvrant les yeux. Il importe de dire ce que vous pensez. La vie est trop courte. Vous devez prononcer les paroles qui comptent.

Pendant un moment, le magicien et la noble dame gardent le silence.

Puis Mme LaVaughn ouvre la bouche. Elle dit :

— Peut-être ne comprenez-vous pas...

Le magicien dit :

— Je voulais seulement faire apparaître des lis.

— Assez, tranche Hans Ickman en s'emparant du fauteuil de Mme LaVaughn et en lui faisant faire demi-tour. C'est assez. Je ne supporterai pas d'entendre ces mots une autre fois. Vraiment, je n'en peux plus.

Il s'éloigne en poussant le fauteuil le long du corridor, puis hors de la prison et dans le froid de ce sombre après-midi baltésien.

— Peut-être ne comprenez-vous pas? Je suis

maintenant invalide...

— Non, dit Hans Ickman, non.

Mme La Vaughn se tait.

Et c'est ainsi que se termine sa dernière visite officielle au magicien incarcéré.

Depuis la fenêtre du logis situé dans le grenier des appartements La Polonaise, Pierre peut voir les tourelles de la prison. Il peut aussi voir la flèche de la plus grande cathédrale de la ville, ainsi que les gargouilles accroupies sur ses rebords, l'air lugubre. S'il regarde au loin, il parvient à voir les grandes, les immenses demeures de la noblesse, tout en haut de la colline. Sous ses yeux s'étendent les rues pavées, tortueuses et sinueuses, les échoppes avec leurs toits de tuiles irrégulières et les pigeons perchés indéfiniment dessus, roucoulant des chants tristes qui ne commencent pas vraiment et ne finissent jamais tout à fait.

C'est une chose terrible que de regarder tout cela et de savoir que quelque part, sous l'un de ces toits ou peut-être au creux d'une quelconque ruelle sombre, se trouve ce dont il a le plus besoin, ce qu'il désire et qu'il ne peut obtenir.

Comment se fait-il que, contre toute attente, tout espoir, toute raison, une éléphante soit apparue par miracle dans la ville de Baltèse et qu'elle ait ensuite disparu tout aussi vite, et que lui, Pierre Auguste Duchêne, qui a désespérément besoin de la trouver, ne sache pas, ne puisse même pas essayer d'imaginer ni comment ni où il la retrouverait?

En survolant du regard la ville de Baltèse, Pierre décide que l'espoir est une chose difficile et compliquée, et qu'il serait sans doute plus facile de se laisser aller au désespoir.

— Éloigne-toi de cette fenêtre, ordonne Vilna Lutz à Pierre.

Pierre se fige. Il a du mal à regarder Vilna Lutz à présent.

— Soldat Duchêne, lance Vilna Lutz.

— Monsieur? dit Pierre sans se retourner.

— Un combat fait rage, déclare Vilna Lutz,

un combat entre le bien et le mal! De quel côté te rangeras-tu? Soldat Duchêne!

Pierre se retourne et affronte le vieil homme.

— Qu'y a-t-il? Pleures-tu? lui demande Vilna Lutz.

— Non, répond Pierre. Je ne pleure pas.

Mais quand il porte la main à sa figure, il est surpris de constater que sa joue est mouillée.

— C'est bien, rétorque Vilna Lutz, car les soldats ne pleurent pas; du moins, ils ne devraient pas pleurer. Le pleurnichage des soldats n'est pas toléré. Quelque chose ne tourne pas rond dans l'univers lorsqu'un soldat pleure. Écoute! Entends-tu le crépitement des mousquets?

— Je ne l'entends pas, répond Pierre.

— Oh, il fait froid! poursuit le vieux soldat. Nous devons tout de même nous exercer à faire nos manœuvres. La marche doit commencer. Oui, la marche doit commencer.

Pierre ne bouge pas.

— Soldat Duchêne! Tu dois marcher! Les armées doivent avancer. Les soldats doivent marcher.

Pierre soupire. Il sent son cœur si lourd qu'il ne pense pas, en vérité, qu'il pourra esquisser le moindre mouvement. Il soulève un pied, puis l'autre.

— Plus haut, clame Vilna Lutz. Marche avec un but; marche comme un homme. Marche comme ton père aurait marché.

Quelle différence cela fait-il qu'une éléphante soit apparue? songe Pierre pendant qu'il reste planté au même endroit, marchant sur place. *La diseuse de bonne aventure m'a simplement fait une plaisanterie énorme et atroce. Ma sœur n'est pas vivante. Il n'y a aucune raison d'espérer.*

Plus Pierre marche et plus il est convaincu que la situation est véritablement sans espoir et qu'un éléphant est une réponse ridicule à n'importe quelle question... et particulièrement à une question posée par un cœur humain.

Chapitre cinq

Les habitants de la ville de Baltèse deviennent obsédés par l'éléphante.

Sur la place du marché, dans les salles de bal, dans les écuries, dans les maisons de jeu, dans les églises, dans les parcs, partout il n'est question que de « l'éléphante », de « l'éléphante qui a fracassé le toit », de « l'éléphante que le magicien a fait apparaître », de « l'éléphante qui a rendu invalide la dame de la noblesse ».

Les pâtissiers de la ville concoctent une

pâtisserie géante et plate, fourrée à la crème et saupoudrée d'un mélange de sucre et de cannelle, qu'ils baptisent « oreille d'éléphant » et dont les gens raffolent.

Les vendeurs itinérants vendent, à des prix exorbitants, des morceaux de plâtre tombés sur la scène lors de l'apparition dramatique de l'éléphante.

— Cataclysme! crient les vendeurs. Chaos! Possédez le plâtre du désastre!

Dans les jardins publics, les spectacles de marionnettes mettent en scène des éléphants qui viennent s'écraser sur les autres marionnettes. Les jeunes enfants éclatent de rire et applaudissent en reconnaissant de quel événement il s'agit.

Depuis les chaires des églises, les prêtres parlent d'une intervention divine, des surprises du destin, du salaire du péché et des conséquences terribles de la magie pratiquée sans aucun contrôle.

L'apparition spectaculaire et inattendue de l'éléphante influence même la façon de parler des habitants de la ville de Baltèse. Par exemple, si une personne est profondément surprise ou remuée, elle s'écrie : « Vous comprenez, j'étais en présence de l'éléphante. »

Quant aux diseuses de bonne aventure de la ville, elles sont particulièrement occupées. Elles scrutent leurs tasses de thé et leurs boules de cristal. Elles décryptent des milliers de paumes de main. Elles étudient leurs cartes et s'éclaircissent la voix avant de prédire que des événements incroyables sont encore à venir. Si des éléphants peuvent apparaître sans prévenir, c'est qu'un changement dramatique s'est certainement produit dans l'univers. Les étoiles doivent être en train de s'aligner en vue d'un événement encore plus spectaculaire ; ça c'est certain, c'est certain.

Pendant ce temps, dans les salles de danse et les salles de bal, les hommes et les femmes de la ville, de la basse comme de la haute société, se trémoussent de la même façon : ils pratiquent une danse à deux pas qui oscille lourdement de-ci de-là et qui est appelée, bien évidemment, l'Éléphante.

Partout et à tout moment, c'est « l'éléphante, l'éléphante, l'éléphante du magicien ».

— Cela est en train de gâcher complètement la vie mondaine, se plaint la comtesse Quintette à son mari. Les gens ne parlent que de ça. Tenez, c'est aussi grave que s'il s'agissait de la guerre. À vrai dire, c'est même pire. Une guerre engendre au moins son lot de héros bien vêtus et capables de tenir une conversation intéressante. Mais qu'avons-nous au lieu de cela? Rien, rien qu'une bête malodorante et répugnante, et malgré tout, les gens insistent pour ne parler que d'elle. J'ai vraiment le sentiment, j'en suis presque certaine, j'en suis absolument convaincue, que je vais perdre la tête si j'entends encore une fois le mot « éléphante ».

— Éléphante, marmonne le comte.

— Qu'avez-vous dit? lâche la comtesse en se retournant d'un bloc et en fixant son mari.

— Rien, dit le comte.

— Il faut faire quelque chose, reprend la

comtesse.

— En effet, dit le comte Quintette, et qui donc
le fera?

— Je vous demande pardon?

Le comte s'éclaircit la voix.

— Ce que je veux dire, chère amie, c'est que
vous devez admettre que ce qui s'est passé est, à
vrai dire, tout à fait extraordinaire.

— Pourquoi devrais-je admettre une telle
chose? Qu'y a-t-il de si extraordinaire là-dedans?

N'étant pas venue à l'opéra le soir fatidique,
la comtesse a raté l'événement catastrophique,
et la comtesse est le genre de personne qui
déteste au plus haut point rater les événements
catastrophiques.

— Eh bien, voyez-vous... commence le comte
Quintette.

— Je ne vois pas, le coupe aussitôt la comtesse.
Et vous ne me ferez rien voir du tout.

— Oui, répond son mari. Je pense qu'il n'y a
rien de plus vrai.

Contrairement à sa femme, le comte est allé

à l'opéra ce soir-là. Il était assis tellement près de la scène qu'il a senti le courant d'air annonçant l'arrivée de l'éléphante.

— Il doit y avoir un moyen de prendre le contrôle de la situation, continue la comtesse Quintette en arpentant la pièce. Il doit y avoir un moyen de relancer la vie mondaine.

Le comte ferme les yeux. Il peut sentir de nouveau la petite brise précédant l'arrivée de l'éléphante. Toute cette histoire s'est passée en un instant, mais elle s'est aussi déroulée avec une telle lenteur. Lui qui ne crie jamais avait crié ce soir-là, comme si l'éléphante lui avait adressé la parole et lui avait dit : « Les choses ne sont pas du tout ce qu'elles semblent être ; oh ! non, pas du tout ! »

Ah, être en présence d'une telle bête, ressentir une telle émotion !

Le comte Quintette ouvre les yeux.

— Ma chérie, déclare-t-il, j'ai la solution.

— Vraiment ? s'étonne la comtesse.

— Oui.

— Et en quoi cette solution consiste-t-elle,

exactement?

— Si tout le monde ne parle que de l'éléphante et si vous désirez être le centre, le cœur de la vie mondaine, alors vous devez être celle qui possède la chose dont tout le monde parle.

— Que voulez-vous dire? demande la comtesse, la lèvre inférieure tremblotante. Que pouvez-vous bien vouloir dire?

— Ce que je veux dire, chère amie, c'est que vous devriez faire venir l'éléphante du magicien ici.

Quand la comtesse fait une demande, la Terre s'arrête de tourner, et sa demande est exaucée sur-le-champ.

Ainsi, en ce qui concerne l'éléphante et la comtesse, voici comment les choses se déroulent : la demeure de la comtesse, aussi somptueuse et bien équipée soit-elle, ne comporte pas de porte assez grande pour laisser entrer un éléphant. La comtesse Quintette embauche donc une douzaine d'ouvriers qui travaillent sans relâche. En moins de vingt-quatre heures, ils abattent un mur et installent une porte énorme, peinte de couleurs vives et décorée avec beaucoup d'élégance.

On fait venir l'éléphante. Elle arrive en catimini pendant la nuit, escortée par le commissaire de police qui lui fait franchir la porte construite expressément pour elle; puis, immensément soulagé d'en avoir terminé avec cette affaire, le commissaire salue la comtesse en portant la main à son chapeau et s'en va.

Derrière lui, on ferme la porte et on la verrouille. Dès lors, l'éléphante devient la propriété de la comtesse Quintette, qui a donné suffisamment d'argent au propriétaire de l'opéra pour qu'il fasse réparer et recouvrir son toit de tuiles en entier au moins douze fois.

L'éléphante appartient totalement à la comtesse Quintette, laquelle a écrit à Mme LaVaughn pour lui exprimer en long et en large, et avec une éloquence extrême, son chagrin devant la tragédie innommable et inexplicable qui s'est abattue sur la noble dame; elle offre à Mme LaVaughn son soutien

total et enthousiaste quant à l'accusation prochaine du magicien et à l'attribution de sa peine.

Le sort de l'éléphante est entièrement entre les mains de la comtesse Quintette, laquelle a versé une contribution très généreuse, il est vrai, à la caisse de retraite des policiers.

L'éléphante, vous le comprenez à présent, est la propriété exclusive de la comtesse.

La bête est installée dans la salle de bal, et les dames et les messieurs, les ducs et les duchesses, les princes et les princesses, les comtes et les comtesses affluent de partout pour la voir.

Ils se réunissent autour d'elle.

L'éléphante devient, quasi littéralement, le centre de la vie mondaine.

Chapitre six

Pierre rêve.

Vilna Lutz est devant lui dans un champ et lui, Pierre, court pour le rattraper.

— Dépêche-toi! lui crie Vilna Lutz. Tu dois courir comme un soldat.

Le champ est un champ de blé et, pendant que Pierre court, le blé pousse de plus en plus, si bien qu'il est bientôt tellement haut que Pierre perd complètement Vilna Lutz de vue et n'entend plus que sa voix qui crie :

— Vite, vite! Cours comme un homme; cours comme un soldat!

— Ça ne sert à rien, dit Pierre. Je l'ai perdu de vue. Je ne réussirai jamais à le rattraper. Ça ne sert à rien de courir.

Il s'assoit et lève les yeux vers le ciel bleu. Autour de lui, le blé continue de pousser, formant un mur doré qui se referme sur lui, l'isolant et le protégeant. *C'est presque comme être enterré, songe-t-il. Je vais rester ici pour toujours, jusqu'à la fin des temps. On ne me retrouvera jamais.*

— Oui, dit-il, je vais rester ici.

Et c'est à ce moment qu'il remarque une porte dans le mur de blé.

Il se lève, avance jusqu'à la porte en bois et cogne. La porte s'ouvre.

— Ohé! appelle Pierre.

Personne ne répond.

— Ohé! appelle-t-il encore.

Comme il n'obtient toujours pas de réponse, il pousse la porte plus grande, en franchit le seuil et se retrouve dans l'appartement qu'il a déjà habité avec sa mère et son père.

Il entend des pleurs.

Il se rend à la chambre et y trouve, couché sur le lit et emmailloté dans une couverture, seul et en pleurs... un bébé.

— À qui est ce bébé? demande Pierre. S'il vous plaît, à qui est ce bébé?

Le bébé continue à pleurer et ce cri lui fend le cœur, alors il se penche et le prend dans ses bras.

— Oh, dit-il. Chuuut! Là, là.

Il serre la petite fille et la berce doucement. Elle cesse de pleurer et s'endort. Pierre la regarde et n'arrive pas à croire comme elle est petite, comme il est facile de la tenir, comme elle semble bien dans ses bras.

Par la porte de l'appartement restée ouverte, il entend la musique du vent qui joue dans les blés. Il jette un coup d'œil par la fenêtre et voit le soleil du soir, tout doré, suspendu au-dessus du champ.

Aussi loin qu'il porte son regard, il n'y a que de

la lumière.

Et, d'une manière aussi soudaine qu'absolue, il a la certitude que le bébé qu'il tient dans ses bras est bel et bien sa petite sœur Adèle.

Lorsqu'il sort de ce rêve, Pierre se redresse d'un coup dans son lit, promène son regard sur la pièce plongée dans l'obscurité et dit :

— C'est ainsi que ça s'est passé. Elle pleurait. Je m'en souviens. Je l'ai tenue dans mes bras. Et elle pleurait. Cela signifie donc qu'elle ne pouvait pas être mort-née, sans avoir jamais respiré, comme Vilna Lutz me l'a répété tant de fois. Elle pleurait. Et pour pleurer, il faut être vivant.

Il se laisse retomber sur le dos et imagine le poids de sa sœur dans ses bras.

Oui, songe-t-il. *Elle pleurait. Je l'ai tenue dans mes bras. J'ai dit à ma mère que je veillerais toujours sur elle. C'est ainsi que ça s'est passé. Je sais que c'est la vérité.*

Il ferme les yeux et voit aussitôt réapparaître la porte de son rêve ; il se souvient de la sensation d'être dans cet appartement, de tenir sa sœur et de contempler le champ de lumière.

Le rêve est trop beau pour qu'il éprouve le moindre doute.

La diseuse de bonne aventure n'a pas menti.

Et si elle n'a pas menti au sujet de sa sœur, alors peut-être a-t-elle dit la vérité au sujet de l'éléphante également?

— L'éléphante, dit Pierre.

Il prononce le mot à voix haute dans l'obscurité omniprésente, devant un Vilna Lutz qui ronfle, devant toute la ville de Baltèse qui dort, indifférente.

— L'éléphante, c'est tout ce qui compte. Elle est chez la comtesse. Je dois trouver un moyen de la voir. Je vais demander à Léo Matienne. C'est un représentant de la loi et il saura ce qu'il faut faire. Il existe à coup sûr un moyen d'entrer, de trouver la comtesse, puis l'éléphante, pour que toute cette histoire soit déconstruite, pour qu'elle soit enfin réécrite correctement, parce qu'Adèle est bien vivante. Elle vit.

À moins de cinq coins de rue des appartements
La Polonaise s'élève un immeuble sombre et
lugubre portant le nom assez invraisemblable
d'orphelinat des Sœurs de la Lumière perpétuelle.
Le dernier étage de cet immeuble abrite un dortoir
austère garni d'une ribambelle de petits lits en fer,
tous alignés côte à côte, en rang d'oignons, comme
autant de soldats métalliques. Dans chacun de ces
lits dort un orphelin et le dernier des lits de ce vaste
dortoir soumis aux courants d'air est occupé par
une petite fille répondant au nom d'Adèle, laquelle,
peu de temps après l'incident survenu à l'opéra,
s'est mise à rêver à l'éléphante du magicien.

Dans les rêves d'Adèle, l'éléphante vient
cogner à la porte de l'orphelinat. Bien sûr, c'est
sœur Marie (la sœur portière, celle qui accueille
les enfants abandonnés à l'orphelinat et la seule
personne jamais autorisée à ouvrir et à fermer la
porte principale de l'orphelinat des Sœurs de la
Lumière perpétuelle) qui répond à l'éléphante.

— Bonne soirée à vous, dit l'éléphante en
inclinant la tête devant sœur Marie. Je viens quérir

cette petite personne que vous appelez Adèle.

— Pardon? fait sœur Marie.

— Adèle, répète l'éléphante. Je viens la quérir. C'est ailleurs qu'elle est censée habiter.

— Vous devez parler plus fort, clame sœur Marie. Je suis vieille et je n'entends pas bien.

— Il s'agit de la petite que vous appelez Adèle, répète l'éléphante d'une voix légèrement plus forte. Je suis venue la chercher pour la conduire là où, après tout, elle doit vivre.

— Je suis vraiment désolée, dit sœur Marie avec une expression de réelle tristesse. Je ne parviens pas à entendre un mot de ce que vous dites. Peut-être est-ce parce que vous êtes une éléphante? Cela se pourrait-il? Cela pourrait-il être la cause de l'interférence dans notre conversation? Comprenez-moi bien, je n'ai rien contre les éléphants. De toute évidence, vous êtes vous-même une éléphante exceptionnellement élégante et pourvue d'excellentes manières; il n'y a aucun doute là-dessus. Mais il n'en demeure pas moins que je ne comprends rien à vos paroles et je me vois donc dans l'obligation de vous souhaiter une bonne nuit.

Sur ces mots, sœur Marie referme la porte.

Depuis une fenêtre du dortoir, Adèle observe l'éléphante qui s'éloigne.

— Madame l'éléphante! crie-t-elle en tapant à la fenêtre. Je suis ici. Ici! Je suis Adèle. Je suis celle que vous cherchez.

Mais l'éléphante continue à s'éloigner. Elle descend la rue et devient plus petite, puis encore plus petite, jusqu'à ce que, par un curieux et frustrant tour de passe-passe comme il en arrive souvent dans les rêves, l'éléphante se transforme en souris, s'engouffre dans une gouttière et disparaisse complètement de la vue d'Adèle. Et alors, il se met à neiger.

Les pavés des rues et les tuiles des toits sont bientôt recouverts de blanc. Il neige et il neige jusqu'à ce que tout disparaisse. Le monde lui-même semble bientôt avoir cessé d'exister, comme effacé, un petit bout à la fois, par la blancheur de la neige qui tombe.

À la fin, il n'y a plus rien ni personne au monde sauf Adèle, qui se tient seule à la fenêtre de son rêve et qui attend.

Chapitre sept

La ville de Baltèse a l'impression d'être assiégée... non pas par une armée étrangère, mais par le mauvais temps.

Personne n'a souvenir d'un hiver aussi gris, aussi inlassablement gris.

Où est donc passé le soleil?

Brillera-t-il à nouveau un jour?

Et si le soleil ne doit pas briller à nouveau, alors ne pourrait-il pas neiger au moins?

Quelque chose, n'importe quoi !

Enfin, avec un hiver aussi rigoureux et aussi sombre, est-il vraiment juste de garder enfermée une créature aussi étrange, aussi adorable et aussi porteuse d'espoir qu'une éléphante, et d'en priver la grande majorité des habitants de la ville?

Non, ce n'est pas juste.

Ce n'est pas juste du tout.

Plus d'un citoyen ordinaire de Baltèse prend l'initiative d'aller cogner à la porte de l'éléphante. Lorsque personne ne daigne répondre, certains vont jusqu'à essayer d'ouvrir eux-mêmes la porte, mais celle-ci demeure bien fermée et solidement verrouillée.

Vous restez dehors, semble dire la porte.

Et ce qui se trouve ici, à l'intérieur, demeure ici, à l'intérieur.

Et cela, dans un monde aussi froid et aussi gris, semble terriblement injuste.

Le désir n'est pas toujours réciproque; pendant que les citoyens de Baltèse rêvent à l'éléphante, l'éléphante, elle, ne rêve pas du tout à eux, et pour elle, se retrouver dans la salle de bal de la comtesse représente un dénouement malheureux.

Le scintillement des chandeliers, le vacarme de l'orchestre, les rires tonitruants, les odeurs de viande rôtie, de fumée de cigare et de fard : tout cela provoque chez elle une agonie nourrie d'incrédulité.

Elle s'efforce d'ignorer tout cela. Elle ferme les yeux et les garde fermés le plus longtemps possible, mais cela n'y fait rien, car dès qu'elle les ouvre à nouveau, tout redevient comme avant. Rien n'a changé.

L'éléphante ressent une douleur terrifiante dans la poitrine.

Elle a du mal à respirer; le monde semble trop petit.

La comtesse Quintette, suite à de longues consultations approfondies avec ses conseillers inquiets, décide que les habitants de la ville (c'est-à-dire les gens qui ne sont jamais invités à ses bals, à ses soupers et à ses soirées) pourront, pour leur culture personnelle et leur plaisir (ce qui leur permettra d'apprécier du même coup le souci de justice sociale très développé de la comtesse), admirer gratuitement l'éléphante, absolument gratuitement, le premier samedi du mois.

La comtesse fait imprimer des affiches et des feuillets. Ils sont ensuite distribués dans toute la ville. Léo Matienne, en rentrant à pied du poste de police, s'arrête pour lire l'annonce et apprend comment, lui aussi, grâce à la générosité de la comtesse, il pourra admirer cette merveille étonnante qu'est son éléphante.

— Ah, merci beaucoup, comtesse, dit Léo en s'adressant à l'affiche. Voilà une nouvelle formidable, ah oui, une nouvelle formidable, en effet.

Un mendiant est installé devant l'entrée, un chien noir à ses côtés, et dès qu'il entend Léo Matienne prononcer ces mots, il se les approprie et en fait une chanson.

— Voilà une nouvelle formidable, chante le mendiant, ah oui, une nouvelle formidable, en effet.

Léo Matienne sourit.

— Oui, dit-il, une nouvelle formidable. Je connais un jeune garçon qui tient désespérément à voir l'éléphante. Il m'a demandé de l'aider et j'ai essayé d'imaginer un moyen pour que cette rencontre ait lieu, et voici que la réponse m'apparaît sous les yeux. Il sera tellement content d'entendre cela.

— Un garçon qui tient beaucoup à voir l'éléphante, chante le mendiant, et il sera content.

Il tend la main tout en chantant.

Léo Matienne dépose une pièce de monnaie dans la main du mendiant, s'incline devant lui, puis continue son chemin d'un pas plus vif à présent, sifflant l'air que le mendiant chantait et réfléchissant : *Et si la comtesse se lassait de l'exclusivité de posséder une éléphante?*

Qu'arriverait-il alors?

Et si l'éléphante se souvenait qu'elle est une créature de la nature et qu'elle se comportait comme telle?

Qu'arriverait-il alors?

Quand Léo Matienne arrive enfin aux appartements La Polonaise, il entend le grincement de la fenêtre du grenier qui s'ouvre. Il lève les yeux et aperçoit le visage rempli d'espoir de Pierre qui l'observe d'en haut.

— S'il vous plaît, Léo Matienne, lance Pierre, avez-vous trouvé un moyen pour que je sois reçu chez la comtesse?

— Pierre! s'exclame-t-il. Petit coucou du monde du grenier! Tu es exactement la personne que je voulais voir. Mais, un instant : où est ton chapeau?

— Mon chapeau? répète Pierre.

— Oui, je t'apporte une excellente nouvelle et il me semble que tu devrais avoir ton chapeau sur la tête, afin de l'entendre correctement.

— Un moment, répond Pierre.

Il disparaît puis revient à la fenêtre, cette fois son chapeau fermement vissé sur la tête.

— Voilà, à présent, tu es officiellement accoutré

et prêt à recevoir la bonne nouvelle dont moi, Léo Matienne, je suis le fier porteur.

Léo s'éclaircit la voix et annonce :

— J'ai le plaisir de t'annoncer que l'éléphante du magicien sera exposée pour la culture personnelle et l'instruction du peuple.

— Qu'est-ce que ça signifie? demande Pierre.

— Cela signifie que tu pourras voir l'éléphante le premier samedi du mois; autrement dit que tu pourras la voir dès ce samedi, Pierre, ce samedi.

— Oh! laisse échapper Pierre, je vais la voir! Je vais la trouver!

Soudain, le visage du garçon s'illumine, il s'illumine tant que Léo Matienne, même s'il sait que c'est ridicule, se retourne pour regarder si le soleil n'aurait pas par hasard réussi l'impossible et serait sorti de derrière un nuage pour éclairer directement le petit visage de Pierre.

Bien sûr, le soleil ne brille pas.

— Ferme la fenêtre, clame la voix de l'ancien soldat depuis l'intérieur du grenier. C'est l'hiver et il fait froid.

— Merci, dit Pierre à Léo Matienne. Merci.

Et il ferme la fenêtre.

Dans l'appartement de Léo et de Gloria Matienne, Léo s'assoit devant le feu, pousse un gros soupir et retire ses bottes.

— Oh, lance sa femme, donne-moi tes chaussettes immédiatement.

Léo retire ses chaussettes. Gloria Matienne les lui prend et les met directement dans un seau rempli d'eau savonneuse.

— Sans moi, commente-t-elle, tu n'aurais aucun ami sur terre, parce que personne ne serait capable de supporter l'odeur de tes pieds.

— Je ne veux pas te contredire, réplique Léo Matienne, mais il se trouve que je garde mes bottes dans les lieux publics et que, dès lors, il n'y a aucune chance pour que quiconque puisse renifler l'odeur de mes chaussettes ou de mes pieds.

Gloria vient se placer derrière Léo et pose ses mains sur ses épaules. Puis elle se penche et dépose un baiser sur sa tête.

— À quoi penses-tu? demande-t-elle.

— Je revois Pierre, répond Léo Matienne.
Il était si heureux d'apprendre qu'il pourrait
voir l'éléphante en personne! Son visage s'est
illuminé d'une manière que je n'avais jamais vue
auparavant.

— Ce pauvre garçon, soupire Gloria. Il est
retenu prisonnier là-haut par cet homme, quel que
soit son nom.

— Il s'appelle Lutz, dit Léo. Il s'appelle Vilna
Lutz.

— Toute la journée, on n'entend rien d'autre
que des manœuvres, des exercices et encore des
exercices. Je les entends, tu sais. Cela fait un
vacarme épouvantable, épouvantable.

Léo Matienne secoue la tête.

— C'est tout cela qui est épouvantable. Pierre
est un gentil garçon, pas vraiment taillé pour
devenir soldat, à mon avis. Il y a beaucoup d'amour
en lui, beaucoup d'amour dans son cœur.

— Bien sûr qu'il y en a, renchérit Gloria.

— Et il est là-haut avec rien ni personne à aimer. C'est triste d'avoir de l'amour et nulle part où le mettre, soupire Léo Matienne.

Il renverse la tête, lève les yeux vers le visage de sa femme et lui sourit en ajoutant :

— Et nous, nous sommes seuls ici, en dessous.

— Ne dis rien, dit Gloria Matienne.

— C'est seulement que... commence Léo.

— Non, l'interrompt Gloria. Non, répète-t-elle en posant un doigt sur les lèvres de Léo. Nous avons essayé et échoué. Dieu a décidé que nous n'aurions pas d'enfants.

— Qui sommes-nous pour savoir ce que Dieu a décidé? demande Léo Matienne.

Il garde le silence pendant un long moment, puis dit :

— Et si...?

— N'y songe même pas, tranche Gloria. Mon cœur s'est brisé trop de fois déjà et il ne supportera pas d'entendre tes questions ridicules.

Mais Léo Matienne ne veut pas se taire.

— Et si...? murmure-t-il à sa femme.

— Non, dit Gloria.

— Pourquoi pas?

— Non.

— Se pourrait-il que...?

— Non, répond Gloria, cela ne se pourrait pas.

Chapitre huit

À l'orphelinat des Sœurs de la Lumière perpétuelle, dans le dortoir caverneux, au creux de son petit lit, Adèle rêve à nouveau à l'éléphante qui cogne et qui cogne, mais cette fois, sœur Marie n'est pas à son poste et personne ne vient lui ouvrir la porte.

Adèle s'éveille et reste étendue en silence, se disant que ce n'était qu'un rêve, seulement un rêve. Mais chaque fois qu'elle referme les yeux, elle revoit l'éléphante qui cogne, qui cogne et qui cogne

sans que personne ne vienne jamais lui ouvrir.
Alors, Adèle rejette sa couverture, sort de son lit,
descend l'escalier dans le froid et dans l'obscurité,
et avance ainsi jusqu'à la porte principale. Elle est
soulagée d'y apercevoir, comme d'habitude et pour
toujours, sœur Marie sur sa chaise, la tête tellement
penchée vers l'avant qu'elle repose presque sur son
ventre, ses épaules se soulèvent et s'abaissent,
et un tout petit son, quelque chose qui ressemble
beaucoup à un ronflement, sort de sa bouche.

— Sœur Marie, dit Adèle en posant sa main sur
l'épaule de la religieuse.

Sœur Marie sursaute.

— La porte n'est pas verrouillée ! crie-t-elle. La
porte n'est jamais verrouillée. Il suffit de cogner !

— Je suis déjà à l'intérieur, explique Adèle.

— Oh ! s'écrie sœur Marie. Tu y es déjà. Tu y
es déjà. C'est toi, Adèle. Comme c'est merveilleux.
Quoique, bien sûr, tu ne devrais pas te trouver ici.
Nous sommes en pleine nuit. Tu devrais être dans
ton lit.

— J'ai fait un rêve, dit Adèle.

— Comme c'est mignon, dit sœur Marie. Et à quoi as-tu rêvé?

— À l'éléphante.

— Oh, des rêves d'éléphante, oui. Je trouve les rêves d'éléphante particulièrement attendrissants, répond sœur Marie, et solennels, oui, même si je suis forcée de reconnaître que je n'ai moi-même jamais encore rêvé à une éléphante. Mais j'attends et j'espère. On doit toujours attendre et espérer.

— L'éléphante venait ici et cognait à la porte, mais il n'y avait personne pour lui répondre, poursuit Adèle.

— C'est impossible, commente sœur Marie. Je suis toujours ici.

— Et l'autre nuit, j'ai rêvé que vous ouvriez la porte, que l'éléphante était là et qu'elle demandait à me voir, mais que vous ne vouliez pas la laisser entrer.

— Ridicule, affirme sœur Marie. Je n'éconduis jamais personne.

— Vous disiez que vous n'arriviez pas à la comprendre.

— Je comprends comment ouvrir une porte, répond gentiment sœur Marie. Je l'ai fait pour toi.

Adèle s'assoit par terre à côté de la chaise de sœur Marie. Elle ramène ses genoux contre sa poitrine et demande :

— Comment j'étais à cette époque? Quand je suis venue ici la première fois?

— Oh! si petite, comme un grain de poussière. Tu ne vivais que depuis quelques heures. Tu venais tout juste de naître, tu comprends?

— Étiez-vous contente? demande Adèle. Étiez-vous contente de ma venue ici?

Elle connaît la réponse. Mais elle pose quand même la question.

— Je vais te dire, répond sœur Marie. Avant que tu arrives, j'étais assise ici sur cette chaise, seule, et le monde était sombre, très sombre. Puis, subitement, tu étais dans mes bras et je t'ai regardée...

— ... et vous avez prononcé mon nom, termine Adèle.

— Oui, j'ai prononcé ton nom.

— Et comment l'avez-vous deviné? Comment avez-vous fait pour deviner mon nom?

— La sage-femme a dit que ta mère, avant de mourir, avait insisté pour qu'on te prénomme Adèle. Comme je connaissais ton nom, je te l'ai dit.

— Et j'ai souri, ajoute Adèle.

— Oui, confirme sœur Marie. Et tout à coup, on aurait dit que la lumière était partout. Le monde était inondé de lumière.

Les paroles de sœur Marie réconfortent Adèle comme le ferait une couverture chaude et familière. La petite ferme les yeux.

— Pensez-vous que les éléphants ont un nom?

— Oh, oui! répond sœur Marie. Toutes les créatures de Dieu ont un nom, chacune d'elles. Je suis sûre de cela ; je n'ai aucun doute à ce sujet.

Évidemment, sœur Marie a raison : tout le monde a un nom.

Les mendiants ont un nom.

Un mendiant du nom de Tomas est assis à l'extérieur de l'orphelinat des Sœurs de la Lumière perpétuelle, dans une ruelle étroite, située à l'angle d'une rue étroite. Recroquevillé près de lui, tentant de se réchauffer lui-même et de réchauffer l'homme en même temps, se trouve un gros chien noir.

Si Tomas a déjà eu un nom de famille, il ne s'en souvient plus. S'il a déjà eu une mère ou un père, il n'en sait rien non plus.

Tout ce qu'il sait, c'est qu'il est un mendiant.

Il sait comment tendre la main aux passants et quêter.

Il sait aussi chanter, sans toutefois savoir comment il l'a appris.

Il sait mettre en chanson les petits riens de la vie quotidienne et les chanter d'une façon tellement belle que l'idée d'un monde meilleur devient dès lors tout à fait crédible.

Le chien s'appelle Iddo.

À une certaine époque, il a traversé des champs de bataille pour transporter des messages, des lettres et des plans, transmettant de l'information d'un officier de l'armée de Sa Majesté à un autre.

Puis un jour, sur un champ de bataille, non loin de Modegnel, alors que le chien se frayait un chemin entre les chevaux, les soldats et les tentes, il a été atteint par un tir de canon et projeté haut dans les airs; il est retombé sur la tête de telle manière que le choc l'a rendu instantanément, et pour le reste de ses jours, aveugle.

Tandis qu'il plongeait dans l'obscurité, sa seule pensée était : *Mais qui va livrer les messages?*

Aujourd'hui, quand il dort, Iddo rêve toujours qu'il court, transportant une lettre, une carte, des plans de combat, un quelconque morceau de papier qui mènera les troupes à la victoire, si seulement il parvient à livrer celui-ci à temps.

De tout son être, le chien désire encore exécuter la tâche pour laquelle il est né et pour laquelle il a été entraîné.

Iddo veut livrer, juste une dernière fois, un message de la plus haute importance.

Dans le froid et l'obscurité de la ruelle, Iddo gémit et Tomas pose sa main sur la tête du chien et la laisse là.

— Chuuuut! chante Tomas. Dors, Iddo. La nuit tombe, mais un garçon veut voir l'éléphante et il la verra, et cela, cela est une nouvelle formidable.

Au-delà de la ruelle, passé les jardins publics et le poste de police, en haut d'une côte abrupte bordée d'arbres, s'élève la demeure du comte et de la comtesse Quintette, et dans la salle de bal toute sombre de cette demeure se tient l'éléphante.

Elle devrait être en train de dormir, mais elle est éveillée.

L'éléphante se répète son nom en elle-même.

Ce n'est pas un nom qui signifierait quelque chose aux humains. C'est un nom d'éléphant... celui sous lequel ses frères et sœurs la connaissent, un nom qu'ils prononcent en riant et en jouant. C'est le nom que sa mère lui a donné et qu'elle lui a répété souvent, avec amour.

Au plus profond d'elle-même, l'éléphante répète ce nom, son nom, encore et encore.

Elle s'applique à se rappeler qui elle est. Elle travaille à se rappeler que, quelque part, dans un lieu complètement différent, elle est connue et aimée.

Chapitre neuf

La fièvre de Vilna Lutz tombe et les paroles du vieux soldat recommencent à prendre un sens ennuyeux, monotone et résolument militaire. Il est sorti de son lit, a taillé sa barbe en une pointe fine et s'est assis par terre. Il est occupé à disposer une collection de soldats de plomb selon le diagramme d'une bataille célèbre.

— Comme tu peux le constater, soldat Duchêne, la stratégie du général Von Flickenhamenger était particulièrement brillante et il l'a exécutée avec beaucoup de grâce et de bravoure, déplaçant ses soldats d'ici jusque-là, réalisant par le fait même une manœuvre sur le flanc qui était complètement inattendue, en même temps qu'extrêmement élégante et dévastatrice. On ne peut qu'admirer le génie de cette stratégie. L'admires-tu, soldat Duchêne?

— Oui, monsieur, dit Pierre. Je l'admire.

— Dans ce cas, tu dois m'accorder toute ton attention, poursuit Vilna Lutz en saisissant son pied en bois et en l'utilisant pour donner un coup sur le plancher. Ceci est important. C'est du travail de ton père que je parle. C'est du travail d'homme.

Pierre baisse les yeux sur les petits soldats et imagine son père dans un champ, couvert de boue, le flanc atteint d'un coup de baïonnette. Il songe à son père qui saigne. Il l'imagine en train de mourir.

Puis il se souvient de son rêve, du poids du corps d'Adèle dans ses bras et de la lumière dorée qui régnait de l'autre côté de la porte. Il se rappelle son père qui le lance en l'air, dans le jardin.

Et pour la première fois, la vie militaire ne ressemble pas, d'aucune façon, à un travail d'homme aux yeux de Pierre. Cela ressemble plutôt à de la folie... une folie horrible, terrible et cauchemardesque.

— Alors, reprend Vilna Lutz en s'éclaircissant la voix, comme je le disais, comme je le mettais en lumière, comme je le décryptais, oui, ces hommes, ces braves, braves soldats, sous les ordres du brillant général Von Flickenhamenger, sont arrivés par-derrière. Ils ont surpris l'ennemi en l'attaquant par le flanc. Et c'est ainsi, finalement, qu'ils ont gagné la bataille. Cela a-t-il du sens?

Pierre observe les petits soldats disposés avec grand soin et parfaitement alignés. Il lève les yeux vers le visage de Vilna Lutz, puis les repose sur les soldats.

— Non, répond-il enfin.

— Non?

— Non. Cela n'a aucun sens.

— Eh bien dans ce cas, explique-moi ce que tu vois quand tu les regardes si tu ne comprends pas la logique.

— Je les regarde et je souhaite que tout cela n'ait jamais existé.

— Jamais existé? répète Vilna Lutz.

— Oui. Jamais. Pas de guerres. Pas de soldats.

Vilna Lutz fixe Pierre. Il a la bouche grande ouverte et la pointe de sa barbe tremble.

Tout en le regardant, Pierre sent quelque chose d'incroyablement chaud lui monter dans la gorge ; il sait qu'à présent, les mots vont enfin sortir.

— Elle est vivante, dit-il. C'est ce que la diseuse de bonne aventure m'a dit. Elle est vivante et une éléphante me conduira jusqu'à elle. Et parce qu'une éléphante est sortie de nulle part, sortie du néant, je la crois. Pas vous. Je ne vous crois pas, je ne peux plus vous croire désormais.

— De quoi parles-tu? Qui est vivante?

— Ma sœur, répond Pierre.

— Ta sœur? Est-ce que je fais erreur? Parlions-nous de vie familiale? Non. Ce n'était pas le cas. Nous parlions de batailles, toi et moi. Nous parlions du génie des généraux et de la bravoure des soldats d'infanterie.

Vilna Lutz frappe le plancher de son pied de bois.

— Les batailles, la bravoure et la stratégie, c'est de ça que nous parlions.

— Où est-elle? Que lui est-il arrivé?

Le vieux soldat grimace. Il dépose le pied en bois et désigne le ciel d'un doigt menaçant.

— Je te l'ai dit. Je te l'ai dit plusieurs fois. Elle est au ciel, avec ta mère.

— Je l'ai entendue pleurer, réplique Pierre. Je l'ai tenue dans mes bras.

— Bah, lance Vilna Lutz dont l'index, toujours pointé vers le ciel, se met à trembler. Elle n'a pas pleuré. Elle ne pouvait pas pleurer. Mort-née. Elle était mort-née. L'air n'a jamais atteint ses poumons. Elle n'a jamais respiré.

— Elle pleurait, je m'en souviens. Je sais que c'est vrai.

— Et quoi encore? Et même si elle avait pleuré? Le fait qu'elle ait pleuré ne signifie pas qu'elle ait vécu... pas du tout, pas du tout. Si tous les bébés

qui avaient pleuré étaient encore en vie, eh bien, le monde serait un endroit surpeuplé, à vrai dire.

— Où est-elle? demande Pierre.

Vilna Lutz laisse échapper un petit sanglot.

— Où? insiste Pierre.

— Je l'ignore, répond le vieux soldat. La sage-femme l'a prise et l'a emmenée. Elle a dit qu'elle était trop petite, qu'elle ne pouvait absolument pas confier un être aussi délicat à un homme comme moi.

— Vous avez dit qu'elle était morte. Encore et encore, vous m'avez répété qu'elle était morte. Vous avez menti.

— N'appelle pas ça un mensonge. Appelle ça plutôt une conjoncture scientifique. Il arrive souvent que les bébés ne survivent pas sans leur mère. Et elle était si petite.

— Vous m'avez menti.

— Non, non, soldat Duchêne. J'ai menti pour ton bien, pour te protéger. Qu'aurais-tu fait si tu avais su la vérité? Cela n'aurait fait que te briser le cœur, de savoir. J'ai pris soin de toi... toi qui voudrais et qui pourrais devenir un soldat comme ton père, un homme que j'ai admiré. Je n'ai pas pris ta sœur parce que la sage-femme ne voulait pas me la laisser ; elle était tellement petite, tellement incroyablement petite. Qu'est-ce que je connais, moi, aux bébés et à leurs besoins ? Je connais la vie militaire, pas la vie familiale.

Pierre se lève. Il marche jusqu'à la fenêtre et reste là, à fixer la flèche de la cathédrale et les oiseaux qui tourbillonnent dans le ciel.

— Je ne veux plus parler à présent, monsieur, déclare Pierre. Demain, j'irai voir l'éléphante, puis je retrouverai ma sœur et j'en aurai fini avec vous. J'en aurai aussi fini avec la vie militaire, car être un soldat est une chose inutile et absurde.

— Ne dis pas une chose aussi horrible, répond Vilna Lutz. Pense à ton père.

— Je pense à mon père, rétorque Pierre.

Et en effet.

Il revoit son père dans le jardin.

Puis il l'imagine sur le champ de bataille, en train de mourir, se vidant de son sang.

Chapitre dix

Le temps se détériore.

Même si cela semble impossible, le temps devient encore plus froid.

Même si cela semble impossible, le ciel devient encore plus sombre.

Et il ne neige toujours pas.

Dans le dortoir froid et sombre de l'orphelinat des Sœurs de la Lumière perpétuelle, Adèle continue à rêver de l'éléphante. Le rêve est tellement tenace qu'au bout d'un certain temps, Adèle peut répéter mot pour mot les paroles que l'éléphante adresse à sœur Marie lorsqu'elle vient cogner à la porte. Il y a une phrase en particulier que l'éléphante prononce et qui porte en elle tant de beauté et d'espoir qu'Adèle prend l'habitude de se la répéter pendant la journée : *Je viens quérir cette petite personne que vous appelez Adèle*. Elle se répète ces mots encore et encore, comme s'ils étaient un poème, une bénédiction ou une prière. *Je viens quérir cette petite personne que vous appelez Adèle; je viens quérir cette petite personne que vous appelez Adèle…*

— À qui parles-tu? demande Lisette, une fillette plus âgée.

Adèle et Lisette sont toutes les deux dans la cuisine de l'orphelinat, penchées au-dessus d'un seau, occupées à peler des pommes de terre.

— À personne, répond Adèle.

— Mais tes lèvres remuaient, insiste Lisette. Je les ai vues bouger. Tu disais quelque chose.

— Je répétais les paroles de l'éléphante, dit Adèle.

— Les paroles de l'éléphante?

— L'éléphante de mes rêves. Elle me parle.

— Oh, bien sûr, suis-je bête! L'éléphante parlante de tes rêves, lance Lisette en émettant un petit rire moqueur.

— L'éléphante cogne à la porte et demande à me voir, poursuit Adèle avant de baisser la voix. Je crois qu'elle vient pour m'emmener loin d'ici.

— Pour t'emmener? répète Lisette en plissant les yeux. Et où donc t'emmènerait-elle?

— Chez moi, répond Adèle.

— Ha! Entendez-vous ça! s'exclame Lisette. Chez elle.

Elle émet un autre petit rire moqueur et demande :

— Quel âge as-tu?

— Six ans, répond Adèle. Presque sept.

— Oui, eh bien, tu es exceptionnellement, incroyablement sotte pour une fillette de presque sept ans, rétorque Lisette.

C'est alors qu'on cogne à la porte de la cuisine.

— Écoute! s'écrie Lisette. On cogne! C'est

peut-être une éléphante.

Elle se lève, marche jusqu'à la porte et l'ouvre toute grande.

— Regarde, Adèle, ajoute-t-elle en se tournant vers la fillette avec un horrible sourire. Regarde qui est là. C'est une éléphante venue te chercher pour te conduire chez toi.

Évidemment, il n'y a pas d'éléphante à la porte. Il n'y a là que le mendiant du quartier et son chien.

— Nous n'avons rien à vous donner, déclare Lisette d'une voix forte. Nous sommes des orphelines. C'est un orphelinat, ici, conclut-elle en tapant du pied.

— Nous n'avons rien à donner, chante le mendiant, mais regarde, Adèle, il y a une éléphante et c'est une nouvelle formidable.

Adèle scrute le visage du mendiant et comprend qu'il a véritablement, terriblement faim.

— Regarde, Adèle, une éléphante, chante-t-il, mais tu dois savoir que la vérité change constamment.

— Cessez de chanter ! crie Lisette.

Elle claque la porte et revient s'asseoir à côté d'Adèle.

— Tu vois qui vient cogner à la porte ici? Des chiens aveugles. Et des mendiants qui chantent des chansons qui n'ont ni queue ni tête. Penses-tu vraiment qu'ils sont venus pour nous ramener chez nous?

— Il avait faim, fait remarquer Adèle.

Elle sent une larme imprévue glisser sur sa joue. La larme est suivie d'une autre, puis d'une autre.

— Et alors? réplique Lisette. Connais-tu quelqu'un qui n'a pas faim, toi?

— Personne, répond Adèle avec sincérité.

Elle-même, la première, a toujours faim.

— Exact, approuve Lisette, nous avons tous faim. Et alors?

Adèle ne trouve rien à lui répondre.

Tout ce qu'elle possède, ce sont les paroles d'une éléphante imaginaire. C'est bien peu, mais elles lui appartiennent et elle recommence à se les répéter en elle-même : *Je viens quérir cette petite personne que vous appelez Adèle; je viens quérir cette petite personne que vous appelez Adèle; je viens quérir cette petite personne que vous appelez Adèle...*

— Cesse de remuer les lèvres, lui lance Lisette. Ne comprends-tu pas que personne n'a l'intention de venir nous chercher?

Chapitre onze

Le premier samedi du mois, toute la ville de Baltèse veut voir l'éléphante. La file serpente depuis la demeure de la comtesse Quintette jusque dans la rue, puis jusqu'en bas de la côte, aussi loin que se porte le regard. Il y a là de jeunes hommes à la moustache et aux cheveux gominés, de vieilles dames vêtues de parures empruntées, leur visage ridé scrupuleusement nettoyé. Il y a des fabricants de chandelles qui dégagent une odeur de cire d'abeille, des lavandières aux mains usées et aux visages pleins d'espoir, des bébés encore au sein de leur mère et des vieillards penchés dangereusement sur leur canne.

Des chapeliers se tiennent la tête haute, arborant avec fierté leur dernière création. Des allumeurs de réverbères, les yeux alourdis par le manque de sommeil, se tiennent près des balayeurs de rues qui pointent leur balai devant eux comme s'il s'agissait d'une épée. Des prêtres et des diseuses de bonne aventure se retrouvent côte à côte et se dévisagent mutuellement avec dégoût et méfiance.

On dirait qu'ils sont tous là : la ville de Baltèse au grand complet fait la queue pour voir l'éléphante.

Et chaque personne, chacune d'elles, porte en elle son lot d'espoirs et de rêves, d'envies de vengeance et de désirs d'amour.

Ils sont tous là.

Ils attendent.

Et en secret, au plus profond de leur cœur,

même s'ils savent bien que cela ne peut se produire réellement, ils espèrent tous que la simple vue de l'éléphante permettra, d'une certaine façon, de les libérer et d'exaucer leurs rêves, leurs espoirs et leurs désirs.

Dans la file, Pierre se trouve juste derrière un homme vêtu entièrement de noir et qui porte sur la tête un chapeau noir au bord exceptionnellement large. L'homme se balance sur ses pieds, des talons aux orteils, tout en marmonnant pour lui-même : « Les dimensions d'un éléphant sont des plus impressionnantes. Les dimensions d'un éléphant sont impressionnantes à l'extrême. Je vais à présent énumérer pour vous les dimensions d'un éléphant. »

Pierre écoute attentivement, car il aimerait beaucoup connaître les dimensions réelles d'un éléphant. Ces renseignements lui semblent utiles, mais l'homme au chapeau noir n'en vient jamais à donner les chiffres. Au lieu de cela, après avoir insisté sur le fait qu'il allait énumérer les

dimensions, il s'interrompt avec un air tragique, inspire profondément, puis recommence à se bercer sur ses pieds et à répéter : « Les dimensions d'un éléphant sont des plus impressionnantes. Les dimensions d'un éléphant sont impressionnantes à l'extrême... »

La file progresse lentement et, vers la fin de l'après-midi, les marmonnements de l'homme au chapeau noir sont fort heureusement éclipsés par la musique d'un mendiant qui chante, debout, la main tendue, un chien noir à ses côtés.

La voix du mendiant est douce, légère et remplie d'espoir. Pierre ferme les yeux et écoute. La chanson agit sur lui comme une main calmante posée sur son cœur. Elle le réconforte.

— Regarde, Adèle, chante le mendiant. Voici ton éléphante.

Adèle.

Pierre tourne la tête, plante son regard dans celui du mendiant et l'homme, aussi incroyable que cela puisse paraître, chante de nouveau le nom de sa sœur.

Adèle.

— Laissez-le la prendre, avait dit sa mère à la sage-femme la nuit où le bébé était né, la nuit où sa mère était morte.

— Je ne crois pas que ce soit une bonne idée, avait répondu la sage-femme. Il est trop jeune.

— Non, laissez-le la prendre, avait insisté sa mère.

Alors, la sage-femme lui avait donné le bébé en pleurs. Et il l'avait tenu.

— Tu dois te souvenir de cela, avait dit sa mère. Elle est ta sœur et elle s'appelle Adèle. Elle t'appartient comme tu lui appartiens. Tu dois te souvenir de cela. Tu peux le faire ?

Pierre avait hoché la tête.

— Tu vas veiller sur elle ?

Pierre avait encore hoché la tête.

— Peux-tu me le promettre, Pierre ?

— Oui, avait-il répondu.

Puis il avait répété une fois de plus ce mot à la fois horrible et merveilleux, juste au cas où sa mère ne l'aurait pas entendu : « Oui. »

Adèle, comme si elle l'avait entendu et l'avait compris aussi, avait cessé de pleurer.

Pierre ouvre les yeux. Le mendiant est parti et, de plus, loin devant lui dans la file, lui parviennent les paroles à présent douloureusement familières : « Les dimensions d'un éléphant... »

Pierre ôte son chapeau, puis le remet, puis l'ôte encore, faisant de son mieux pour ne pas laisser couler les larmes qu'il sent monter en lui.

Il a promis.

Il a *promis*.

Quelqu'un derrière lui le pousse.

— Est-ce que tu jongles avec ton chapeau ou est-ce que tu fais la queue? lui demande une voix bourrue.

— Je fais la queue, répond Pierre.

— Eh bien, dans ce cas, pourquoi n'avances-tu pas?

Pierre remet son chapeau sur sa tête et avance avec élégance, comme le soldat, le très gentil petit soldat qu'il s'entraînait à devenir avant.

Dans la demeure du comte et de la comtesse Quintette, dans la salle de bal, pendant que les gens font la queue près de l'éléphante, qu'ils la touchent, qu'ils la tirent, qu'ils s'appuient sur elle, qu'ils crachent, qu'ils rient, qu'ils gémissent, qu'ils prient et qu'ils chantent, celle-ci reste immobile, le cœur brisé.

Il y a trop de choses qu'elle ne comprend pas.

Où sont ses frères et ses sœurs? Sa mère?

Où sont les herbes hautes et le soleil étincelant? Où sont les jours chauds, les flaques d'ombre sombre et les nuits fraîches?

Le monde est devenu trop froid, trop déroutant et trop chaotique pour être supportable.

Elle cesse de se répéter son nom à elle-même.

Elle décide qu'elle préférerait mourir.

Chapitre douze

Ayant découvert qu'il était plutôt salissant d'avoir une éléphante dans sa salle de bal, la comtesse Quintette a retenu, pour des raisons de raffinement et de propreté, les services d'un petit homme extrêmement discret dont le travail consiste à se tenir derrière l'éléphante avec un seau et une pelle et à intervenir au besoin. Le dos du petit homme est courbé et tordu, et c'est pourquoi il lui est pratiquement impossible de lever son visage et de regarder les gens ou les choses directement en face.

Il voit tout de biais.

Il s'appelle Bartok Whynn et, avant de se retrouver perpétuellement et pour toujours debout derrière une éléphante, il était tailleur de pierre. Il travaillait tout en haut de la plus grande et de la plus magnifique cathédrale de la ville, où il œuvrait à faire émerger de la pierre des gargouilles. Les gargouilles de Bartok Whynn étaient absolument terrifiantes, toutes différentes les unes des autres, et chacune toujours plus effrayante que la précédente.

Un jour de l'été dernier, c'est-à-dire l'été précédant l'hiver durant lequel l'éléphante était arrivée à Baltèse, alors que Bartok Whynn s'appliquait à donner vie à la gargouille la plus monstrueuse qu'il eût jamais conçue, il avait perdu pied et était tombé. Il était alors juché si haut sur la cathédrale qu'il lui avait fallu beaucoup de temps avant d'atteindre le sol. Il avait eu le temps de réfléchir.

Il s'était dit : *Je vais mourir.*

Cette pensée avait été suivie d'une autre : *Mais je sais quelque chose. Je sais quelque chose. Qu'est-ce donc?*

Et alors, cela lui était revenu : *Ah oui, je sais ce que je sais! La vie est amusante. Voilà ce que je sais.*

Et dans sa longue chute vers le sol, il avait éclaté d'un grand rire. Plus bas dans la rue, les passants l'avaient entendu. Ils s'étaient exclamés entre eux : « Imaginez un homme qui est précipité vers sa mort et qui rit durant toute sa chute! »

Bartok Whynn s'était écrasé par terre et ses compagnons tailleurs de pierre avaient porté son corps brisé, ensanglanté et inconscient à travers les rues et jusque chez lui, où sa femme avait hésité entre appeler l'entrepreneur de pompes funèbres ou le médecin.

Finalement, elle avait opté pour le médecin.

— Son dos est brisé et il ne survivra pas, avait déclaré le médecin à la femme de Bartok Whynn. Aucun homme ne peut survivre à une telle chute, c'est impossible. Qu'il ait survécu aussi longtemps est en soi une sorte de miracle que nous ne nous expliquons pas et pour lequel nous devrions simplement être reconnaissants. Cela a sûrement une signification que nous n'arrivons pas encore à saisir.

Bartok Whynn, qui était resté inconscient jusque-là, avait alors émis un faible son, agrippé le grand manteau du médecin et gesticulé pour lui faire signe de s'approcher.

— Attendez un peu, avait dit le médecin. Regardez, madame. Il va bientôt prononcer des paroles, des paroles importantes, le grand message qu'il doit livrer et qui lui a valu d'être épargné. Vous pouvez me confier ces paroles, monsieur. Confiez-les-moi.

Et, dans un geste théâtral, le médecin avait dégagé son manteau de la main de Bartok, s'était penché au-dessus de son corps disloqué et avait tendu l'oreille.

— Hiiiiiiiiiii, avait murmuré Bartok Whynn dans l'oreille du médecin, hiii, hiii.

— Que dit-il? avait demandé sa femme.

Le médecin s'était redressé. Son visage était très pâle.

— Votre mari ne dit rien, avait-il répondu.

— Rien? avait répété la femme.

Bartok avait encore tiré sur le manteau du médecin. À nouveau, le médecin s'était penché et avait écouté, mais cette fois avec un enthousiasme manifestement moins marqué.

— Hiiiiiiiiiii, avait rigolé Bartok Whynn dans l'oreille du médecin, hiii, hiii.

Le médecin s'était redressé. Il avait replacé son manteau.

— Il n'a rien dit? avait encore demandé l'épouse de Bartok en se tordant les mains.

— Madame, avait répondu le médecin, il rit. Il a perdu la raison. Et il va bientôt perdre la vie. Je vous assure qu'il ne vivra pas, qu'il ne peut pas vivre.

Mais le dos brisé du tailleur de pierre avait guéri, s'était figé dans sa forme étrange et tordue, et l'homme avait survécu.

Avant sa chute, Bartok Whynn était un homme taciturne d'un mètre quatre-vingts qui riait une fois tous les quinze jours, tout au plus. Après sa chute, il mesurait un mètre quarante-sept et il riait d'une manière lugubre, sciemment, quotidiennement, toutes les heures, pour tout et pour rien. La vie au sens large provoquait chez lui ces crises d'hilarité.

Il était retourné travailler tout en haut de la cathédrale. Il avait repris son burin. Il s'était planté devant la pierre. Mais il n'était pas parvenu à cesser de rire assez longtemps pour sculpter quoi que ce soit dedans. Il avait ri et ri, ses mains avaient tremblé, la pierre était demeurée intacte, les gargouilles n'étaient jamais apparues et Bartok Whynn avait été renvoyé.

C'est ainsi qu'il s'était retrouvé, pour finir, derrière l'éléphante avec un seau et une pelle. Son nouvel emploi n'avait affecté en rien ni d'aucune façon sa propension à l'hilarité. Au contraire, il riait encore plus, si cela était possible. Il riait encore plus fort.

Bartok Whynn riait.

Et c'est pourquoi, plus tard ce jour-là, dans la morosité perpétuelle et invariable de cet après-midi d'hiver baltésien, Pierre entend un rire lorsqu'il franchit enfin la porte aménagée pour l'éléphante et qu'il pénètre dans la salle de bal vivement éclairée de la comtesse Quintette.

Au début, il ne parvient pas à voir l'éléphante.

Il y a tant de gens massés autour d'elle que sa vue est complètement bloquée. Mais ensuite, au fur et à mesure que Pierre s'approche, il la voit finalement apparaître devant ses yeux. Elle est à la fois plus grande et plus petite qu'il l'avait imaginée. Quand il l'aperçoit, la tête basse et les yeux fermés, il sent son cœur se serrer dans sa poitrine.

— Avancez... ha, ha, hiii! crie un petit homme muni d'une pelle. Hiiiiii! Vous devez avancer afin que chacun, j'ai bien dit chacun puisse voir l'éléphante.

Pierre ôte son chapeau. Il le tient contre son cœur. Il avance suffisamment pour pouvoir poser

sa main sur le flanc rude et solide de l'éléphante.
Elle bouge, se balançant d'un côté et de l'autre. La
chaleur qu'elle dégage le stupéfie. Pierre bouscule
les gens qui l'entourent et parvient à approcher son
visage tout près de celui de l'éléphante, afin de lui
dire ce qu'il est venu lui dire et de lui demander ce
qu'il est venu lui demander.

— S'il vous plaît, dit-il, vous savez où se trouve
ma sœur. Pouvez-vous me le dire?

Puis il se sent trop mal pour ajouter quoi que
ce soit. Elle semble tellement fatiguée et tellement
triste. Dort-elle?

— Avancez, avancez... ha, ha, hiii! crie le petit
homme.

— S'il vous plaît, murmure encore Pierre à
l'éléphante, pourriez-vous... j'ai besoin de vous
pour... pourriez-vous... vous serait-il possible
d'ouvrir les yeux? Pourriez-vous me regarder?

L'éléphante cesse de se balancer. Elle reste
parfaitement immobile. Puis, au bout d'un long
moment, elle ouvre les yeux et le regarde fixement.

Elle lui adresse un regard, un seul, mais empli d'un désespoir immense.

Alors, Pierre oublie tout ce qui concerne Adèle, sa mère, la diseuse de bonne aventure, le vieux soldat, son père, les champs de bataille, les mensonges, les promesses et les prédictions. Il oublie tout sauf l'évidence terrible de ce qu'il voit, de ce qu'il lit dans les yeux de l'éléphante.

Elle a le cœur brisé.

Elle doit retourner chez elle.

L'éléphante doit retourner chez elle sinon, c'est sûr, elle va mourir.

Quant à l'éléphante, lorsqu'elle ouvre les yeux et qu'elle aperçoit le garçon, elle sent un frisson la traverser.

Il la regarde comme s'il la connaissait.

Il la regarde comme s'il comprenait.

Pour la première fois depuis qu'elle a fracassé le toit de l'opéra, l'éléphante ressent quelque chose qui s'apparente à de l'espoir.

— Ne vous inquiétez pas, lui murmure Pierre. Je vais faire en sorte que vous rentriez chez vous.

Elle le regarde fixement.

— Je vous le promets, ajoute Pierre.

— Au suivant! crie le petit homme à la pelle. Vous devez, vous devez tout simplement avancer. Ha, ha, hiii! D'autres gens attendent pour voir... ha, ha, hiii!... l'éléphante, eux aussi.

Pierre s'éloigne.

Il tourne le coin. Il avance sans se retourner, sort de la salle de bal de la comtesse Quintette, franchit la porte et se fond dans l'obscurité du monde.

Il a fait une promesse à l'éléphante, mais quel genre de promesse est-ce donc?

C'est la pire promesse qui existe; c'est le genre de promesse qu'il ne pourra pas tenir.

Comment pourra-t-il, lui, Pierre, faire en sorte que l'éléphante rentre chez elle? Il ne sait même pas d'où elle vient. Vient-elle d'Afrique? D'Inde? Où se trouvent ces contrées et comment pourra-t-il conduire un éléphant jusque-là?

C'est comme s'il avait promis à l'éléphante de lui procurer une paire d'ailes gigantesques.

Ce que j'ai fait est horrible, songe Pierre. *C'est terrible. Je n'aurais jamais dû lui faire cette promesse. Et je n'aurais jamais dû poser ma question à la diseuse de bonne aventure. Je n'aurais pas dû, non. J'aurais dû laisser les choses comme elles étaient. Et ce que le magicien a fait, cela aussi est terrible. Il n'aurait jamais dû faire apparaître l'éléphante ici. Je suis content qu'il soit en prison. Il ne faudrait jamais, jamais le laisser sortir. Seul un homme mauvais peut faire une chose pareille.*

Pierre est alors frappé par une pensée tellement fantastique qu'il s'arrête pile. Il met son chapeau. Il l'ôte. Il le remet sur sa tête.

Le magicien.

S'il existe dans ce monde une magie suffisamment puissante pour faire apparaître une éléphante, alors il doit exister une magie d'une égale mesure, une magie tout aussi puissante pour défaire ce qu'elle a fait.

Il doit exister une formule magique pour renvoyer l'éléphante chez elle, d'où elle vient.

— Le magicien, dit Pierre à voix haute avant de s'écrier : « Léo Matienne ! »

Il pose son chapeau sur sa tête. Il se met à courir.

Chapitre treize

Léo Matienne ouvre la porte de son appartement. Il est pieds nus. Il a une serviette de table nouée autour du cou ainsi qu'un morceau de carotte et une miette de pain pris dans sa moustache. Une odeur de ragoût de mouton s'échappe dans la rue sombre et froide.

— Mais c'est Pierre Auguste Duchêne! s'exclame Léo Matienne. Et il a son chapeau sur la tête. Et il est ici, en bas, plutôt qu'en haut à se prendre pour le coucou d'une pendule.

— Je suis vraiment désolé de vous déranger pendant votre souper, explique Pierre, mais je dois voir le magicien.

— Tu dois quoi?

— J'ai besoin que vous me conduisiez à la prison afin que j'y rencontre le magicien. Vous êtes un policier, un représentant de la loi ; ils vont sûrement vous laisser entrer.

— Qui est-ce? demande Gloria Matienne.

Elle rejoint son mari à la porte et se place derrière lui.

— Bonsoir, madame Matienne, dit Pierre.

Il ôte son chapeau et s'incline devant Gloria.

— Bonsoir à toi, répond Gloria.

— Oui, bonsoir, dit Pierre en remettant son chapeau sur sa tête. Je suis désolé de vous déranger pendant votre souper, mais j'ai besoin de me rendre à la prison immédiatement.

— Il doit se rendre à la prison? répète Gloria Matienne à l'intention de son mari. Est-ce bien ce qu'il a dit? Pour l'amour! Quel genre de demande est-ce là pour un enfant? Non mais, regarde-le un peu. Il est tellement maigre qu'on peut presque voir au travers. Il est... quel est le mot encore?

— Transparent? propose Léo.

— Oui, approuve Gloria, c'est exactement ça. Transparent. C'est ce vieil homme qui ne te nourrit pas? En plus de manquer d'amour, il manque de nourriture dans ce grenier?

— Il y a du pain, répond Pierre. Et du poisson aussi, mais ce sont de très petits poissons, des poissons exceptionnellement petits.

— Tu dois entrer, déclare Gloria. C'est ce que tu dois faire immédiatement. Tu dois entrer.

— Mais... commence Pierre.

— Entre, dit Léo. Nous discuterons.

— Entre, répète Gloria Matienne. Nous mangerons d'abord et ensuite, nous discuterons.

Il y a dans l'appartement de Léo et de Gloria Matienne un feu merveilleux qui danse dans l'âtre et auprès duquel on a tiré la table de cuisine.

— Assieds-toi, dit Léo.

Pierre s'assoit. Ses jambes tremblent et son

cœur bat la chamade comme s'il était encore en train de courir.

— Je ne crois pas avoir beaucoup de temps, déclare-t-il. À vrai dire, je ne crois pas avoir assez de temps pour souper.

Gloria dépose un bol de ragoût entre les mains de Pierre.

— Mange, lui ordonne-t-elle.

Pierre porte la cuillère à sa bouche. Il mâche. Il avale.

Cela fait bien longtemps qu'il n'a mangé autre chose que des poissons minuscules et du pain rassis.

Aussi, Pierre se sent tout chaviré dès la première bouchée de ragoût. La chaleur du mets, sa richesse le renversent; c'est comme si une main l'avait poussé doucement alors qu'il ne s'y attendait pas. Tout ce qu'il a perdu revient le submerger : le jardin, son père, sa mère, sa sœur, les promesses qu'il a faites et qu'il ne pourra pas tenir.

— Qu'y a-t-il? demande Gloria Matienne. Le garçon pleure.

— Là, là, dit Léo en posant sa main sur l'épaule de Pierre. Là. Ne t'inquiète pas, Pierre. Tout ira bien. Tout va bien se passer. Ensemble, nous ferons tout ce qui doit être fait. Mais pour l'instant, tu dois manger.

Pierre hoche la tête. Il porte la cuillère à sa bouche. À nouveau, il mâche et il avale, et à nouveau, il se sent tout chaviré. C'est plus fort que lui. Il ne peut pas empêcher les larmes de couler ; elles glissent sur ses joues et jusque dans son bol.

— Ce ragoût est très bon, madame Matienne, parvient-il à dire. Vraiment, ce ragoût est excellent.

Ses mains tremblent ; la cuillère grince contre le bol.

— Allons, allons, le rassure Gloria Matienne, ne le renverse pas.

Il n'y a plus rien, songe Pierre. *Tout est parti ! Et il n'y a aucun moyen de retrouver tout cela.*

— Mange, répète Léo Matienne avec douceur.

Pierre ose regarder la vérité en face et tout ce qu'il a perdu.

Puis, il mange.

Quand Pierre a terminé, Léo Matienne prend place sur la chaise à côté de lui et dit :

— À présent, tu dois tout nous raconter.

— Tout? demande Pierre.

— Oui, tout, répète Léo Matienne en s'adossant sur sa chaise. Commence par le début.

Pierre commence par le jardin. Il commence son récit avec son père qui le lance haut dans les airs et qui le rattrape. Il commence avec sa mère toute vêtue de blanc qui rit, son ventre rond comme un ballon.

— Le ciel était pourpre, raconte Pierre. Les lumières étaient allumées.

— Oui, dit Léo Matienne. Je vois très bien la scène. Et où se trouve ton père à présent?

— Il était soldat, répond Pierre, et il est mort sur le champ de bataille. Vilna Lutz servait avec lui et il a combattu à ses côtés. Il était son ami. C'est lui qui est venu chez nous pour nous annoncer la mort de mon père.

— Vilna Lutz, répète Gloria Matienne, comme si elle jetait un sort.

— Quand ma mère a entendu la nouvelle, le bébé s'est annoncé : ma sœur, Adèle.

Pierre s'interrompt. Il respire à fond et poursuit :

— Ma sœur est née et ma mère est morte. Avant qu'elle ne meure, je lui ai promis de toujours veiller sur le bébé. Mais je n'ai pas pu, car ensuite, la sage-femme a emmené le bébé et Vilna Lutz m'a pris sous son aile pour m'apprendre à devenir un soldat.

Gloria Matienne bondit sur ses pieds.

— Vilna Lutz! crie-t-elle en brandissant son poing vers le plafond. Je vais lui dire deux mots à celui-là.

— S'il te plaît, assieds-toi, lui dit Léo Matienne.

Gloria s'assoit.

— Et qu'est-il arrivé à ta sœur? demande Léo à Pierre.

— Vilna Lutz m'a dit qu'elle était morte. Il m'a

dit qu'elle était mort-née, morte à la naissance.

Gloria Matienne laisse échapper un petit cri.

— Il a dit ça. Mais il a menti. Il a menti. Il a reconnu qu'il avait menti. Elle n'est pas morte, raconte Pierre.

— Vilna Lutz ! s'écrie Gloria Matienne.

Elle bondit de nouveau sur ses pieds et brandit son poing vers le plafond.

— D'abord, la diseuse de bonne aventure m'a affirmé qu'elle était vivante, puis mon propre rêve m'a dit la même chose. La diseuse de bonne aventure m'a aussi dit que l'éléphante — oui, une éléphante — me conduirait jusqu'à elle. Mais aujourd'hui, cet après-midi même, Léo Matienne, j'ai vu l'éléphante et j'ai compris qu'elle allait mourir si elle ne rentrait pas chez elle. Elle doit rentrer chez elle. Le magicien doit la renvoyer d'où elle vient.

Léo croise les bras et fait basculer sa chaise sur les deux pieds arrière.

— Ne fais pas ça, lui mentionne Gloria en se rasseyant. C'est très mauvais pour la chaise.

Léo Matienne fait basculer sa chaise lentement vers l'avant jusqu'à ce que les quatre pieds touchent terre. Il sourit et dit :

— Et si...?

— Oh, ne commence pas, le menace sa femme. S'il te plaît, ne commence pas.

— Pourquoi pas?

De très loin au-dessus d'eux, un *boum* étouffé leur parvient aux oreilles. C'est le bruit que fait Vilna Lutz lorsqu'il frappe le plancher avec son pied en bois pour réclamer quelque chose.

— Cela se pourrait-il? demande Léo.

— Oui, répond Pierre.

Il ne lève pas les yeux vers le plafond. Il les garde fixés sur Léo Matienne.

— Et si...? dit-il au policier.

— Pourquoi pas? lui répond Léo en souriant.

— C'est assez, tranche Gloria.

— Non, réplique Léo Matienne, ce n'est pas assez. Ce n'est jamais assez. Nous devons nous poser ces questions aussi souvent que nous en avons envie. Comment le monde peut-il changer si nous ne le remettons jamais en question?

— Le monde ne peut pas changer, intervient Gloria. Le monde est ce qu'il est et ce qu'il a toujours été.

— Non, répond doucement Léo Matienne. Je n'en crois pas un mot. Car voici Pierre, debout devant nous, qui nous demande de le changer.

Boum, boum, boum continue de marteler le pied de Vilna Lutz au-dessus d'eux.

Gloria lève les yeux au plafond. Elle regarde du côté de Pierre.

Elle secoue la tête. Elle hoche la tête. Puis, lentement, elle hoche la tête une nouvelle fois.

— Oui, dit Léo Matienne, oui, c'est ce que je pense aussi.

Il se lève, ôte la serviette de table nouée autour de son cou et ajoute :

— Il est temps de nous rendre à la prison.

Il enlace sa femme et l'attire contre lui. Elle pose sa joue contre la sienne un moment, puis elle s'éloigne de Léo et se tourne vers Pierre.

— Toi, dit-elle.

— Oui, dit Pierre.

Il se tient droit devant elle, comme un soldat qui attend l'inspection, et c'est pourquoi il est très surpris lorsqu'elle l'agrippe et l'attire contre elle, l'enveloppant du même coup de l'odeur de ragoût de mouton, d'amidon et d'herbe verte.

Oh, être enlacé!

Il avait complètement oublié cette sensation. Il entoure Gloria Matienne de ses bras et, une fois encore, se met à pleurer.

— Là, là, murmure-t-elle en le berçant d'avant en arrière. Là, espèce de garçon bête et mignon qui veut changer le monde. Là, là. Qui pourrait bien résister à l'envie de t'aimer? Qui pourrait bien résister à l'envie d'aimer un garçon si brave et si loyal?

Chapitre quatorze

Dans la demeure de la comtesse, dans la salle de bal sombre et vide, l'éléphante dort. Elle rêve qu'elle traverse une vaste savane. Au-dessus d'elle, le ciel resplendit d'un bleu vif. Elle sent la chaleur du soleil sur son dos. Dans son rêve, le garçon apparaît au loin devant elle et l'attend.

Lorsqu'elle arrive enfin près de lui, il la regarde comme il l'a fait cet après-midi. Mais il ne dit rien. Il se met tout simplement à marcher à ses côtés.

Ils avancent côte à côte dans les herbes hautes et, dans son rêve, l'éléphante se dit que c'est une chose formidable que de marcher à côté du garçon. Elle sent que les choses sont exactement comme elles devraient l'être et elle est heureuse.

Le soleil est si bon !

Dans la prison, le magicien est allongé sur sa cape, les yeux rivés sur la fenêtre dans l'espoir que les nuages se dissipent et que l'étoile brillante apparaisse.

Il n'arrive plus à dormir.

Chaque fois qu'il ferme les yeux, il voit l'éléphante fracasser le plafond de l'opéra et atterrir sur Mme LaVaughn. Cette image le hante au point où il ne peut plus trouver ni repos ni répit. La seule chose à laquelle il réussit à penser, c'est à l'éléphante et au tour de magie incroyable et stupéfiant qu'il a exécuté en l'invoquant.

Mais en même temps, il se sent seul, douloureusement et désespérément seul, et il désire de tout son cœur apercevoir un visage, un visage humain. Il serait ravi, comblé au-delà de toute attente, de pouvoir contempler même la mine accusatrice et suppliante de Mme LaVaughn, l'invalide. Si elle apparaissait près de lui à cet instant, il lui montrerait l'étoile qui est parfois visible de sa fenêtre. Il lui dirait : « En vérité, avez-vous déjà vu quelque chose d'aussi cruellement joli? Qu'allons-nous faire d'un monde où les étoiles brillent avec un tel éclat au milieu de tant d'obscurité et de morosité? »

Tout cela pour dire que cette nuit-là, le magicien est éveillé lorsque la porte extérieure de la prison s'ouvre avec fracas et que deux paires de pas se mettent à résonner le long du corridor.

Il se lève.

Il revêt sa cape.

Il regarde entre les barreaux de sa cellule et aperçoit la lueur d'une lanterne qui brille dans le corridor sombre. Son cœur bondit à l'intérieur de sa poitrine. Il lance un cri à l'intention de la lueur qui approche.

Et que dit-il?

Vous connaissez très bien les paroles qu'il prononce.

— Je voulais seulement faire apparaître des lis! crie le magicien. Je vous en prie, je voulais seulement faire apparaître un bouquet de lis.

Grâce à la lueur de la lanterne que Léo Matienne tient en l'air, Pierre parvient à voir le magicien très clairement. Sa barbe est longue et en broussaille, ses ongles sont cassés et abîmés, sa cape est couverte d'une couche de moisissure. Ses yeux brillent d'un éclat vif, mais ce sont les yeux d'un animal traqué : à la fois désespérés, suppliants et enragés.

Pierre se sent tout à coup très abattu. Cet homme n'a pas du tout l'air capable d'exécuter quelque tour de magie que ce soit et encore moins le tour colossal, le tour prodigieux qui consiste à renvoyer un éléphant chez lui.

— Qui êtes-vous? demande le magicien. Qui vous envoie?

— Je m'appelle Léo Matienne, répond Léo, et voici Pierre Auguste Duchêne. Nous sommes venus vous parler de l'éléphante.

— Bien sûr, bien sûr, répond le magicien. De quoi d'autre voudriez-vous me parler à part de l'éléphante?

— Nous voulons que vous exécutiez le tour de magie qui la renverra chez elle, explique Pierre.

Le magicien éclate de rire : ce n'est pas un son agréable.

— La renvoyer chez elle, dites-vous? Et pourquoi ferais-je une chose pareille?

— Parce qu'elle va mourir si vous ne le faites pas, répond Pierre.

— Et pourquoi mourrait-elle?

— Elle a le mal du pays, dit Pierre. Je crois qu'elle a le cœur en mille morceaux.

— Un tour de magie pour une éléphante nostalgique au cœur brisé, lance le magicien.

Il se remet à rire. Il secoue la tête.

— C'était tellement grandiose lorsque c'est

arrivé ; c'était tellement prodigieux quand ça s'est produit, vous ne le croiriez pas ; vraiment, vous ne le croiriez pas. Et regardez le résultat à présent.

Quelque part dans la prison, quelqu'un pleure. C'est le genre de sanglot étranglé auquel Vilna Lutz se laisse parfois aller lorsqu'il croit que Pierre dort.

Le monde est cassé, songe Pierre, *et il ne peut pas être réparé.*

Le magicien reste immobile, la tête appuyée contre les barreaux. Le bruit produit par le prisonnier qui pleure augmente et diminue, augmente et diminue. Alors Pierre s'aperçoit que le magicien pleure lui aussi ; de grosses larmes solitaires glissent sur son visage, puis disparaissent dans sa barbe.

Peut-être n'est-il pas trop tard après tout.

— J'y crois, déclare Pierre très doucement.

— Que crois-tu ? demande le magicien sans faire un mouvement.

— Je crois que les choses peuvent encore s'arranger. Je crois que vous êtes capable d'exécuter le tour de magie qu'il faut pour cela.

Le magicien secoue la tête.

— Non, dit-il.

Il prononce le mot doucement comme s'il se parlait à lui-même.

Un long silence s'installe.

Léo Matienne s'éclaircit la voix une première fois, puis une deuxième. Il ouvre la bouche et prononce deux mots tout simples. Il dit :

— Et si...?

Le magicien relève aussitôt la tête et regarde le policier.

— Et si...? répète-t-il. « Et si...? » est une question qui relève du domaine de la magie.

— Oui, approuve Léo, de la magie, mais également du monde dans lequel nous vivons chaque jour. Alors : et si...? Et si vous vous donniez seulement la peine d'essayer?

— J'ai déjà essayé, réplique le magicien. J'ai essayé et je n'ai pas réussi à la renvoyer chez elle.

Les larmes continuent à rouler sur son visage.

— Vous devez comprendre : je ne voulais pas la renvoyer; elle représente le plus grand tour de magie que j'aie jamais exécuté.

— La renvoyer d'où elle vient serait aussi un grand tour de magie, fait remarquer Léo Matienne.

— C'est vous qui le dites, répond le magicien.

Son regard va de Léo Matienne à Pierre, puis revient sur Léo Matienne.

— S'il vous plaît, insiste Pierre.

La lumière de la lanterne tenue par le bras tendu de Léo vacille un instant et l'ombre du magicien qui se dessine sur le mur derrière lui recule soudainement, puis grandit à nouveau. L'ombre est détachée de lui comme si elle était une créature complètement indépendante qui le surveillait, attendant avec anxiété, tout comme Pierre, qu'il décide du sort qui attend l'univers tout entier.

— Très bien, déclare enfin le magicien. Je vais essayer. Mais je vais avoir besoin de deux choses. Je vais avoir besoin de l'éléphante, car je peux la faire disparaître seulement si elle se trouve en ma présence. Je vais aussi avoir besoin de Mme LaVaughn. Vous devez me les amener ici

toutes les deux, l'éléphante et la noble dame.

— Mais c'est impossible, proteste Pierre.

— La magie est toujours impossible, réplique le magicien. Elle commence avec l'impossible, se termine avec l'impossible et est impossible entre les deux. C'est pour cela que c'est de la magie.

Chapitre quinze

Mme LaVaughn est souvent éveillée la nuit par des douleurs persistantes aux jambes. Et parce qu'elle est éveillée, elle insiste pour que toute la maisonnée le soit aussi.

De plus, elle insiste pour que ses employés écoutent tous une fois encore son récit : comment elle s'est habillée pour aller à l'opéra ce soir-là, comment elle est entrée en marchant dans l'édifice (En marchant! Sur ses deux jambes!), totalement et absolument ignorante du sort qui l'attendait à l'intérieur. Elle insiste pour que le jardinier et le cuisinier, les servantes et les femmes de chambre fassent mine d'être intéressés pendant qu'elle raconte une fois de plus comment le magicien l'a choisie, elle, parmi la foule des spectateurs espérant être choisis.

— « Alors, qui d'entre vous se présentera devant moi pour expérimenter ma magie? » Ce sont ses paroles exactes, dit Mme LaVaughn.

Les servantes réunies écoutent (ou font semblant d'écouter) pendant que la noble dame raconte l'arrivée fracassante de l'éléphante surgie de nulle part et leur rappelle comment, une minute auparavant, la notion d'éléphante était inconcevable et la minute d'après, l'éléphante était un fait irréfutable, écrasant ses genoux.

— Invalide, conclut Mme LaVaughn, une éléphante qui a fracassé le toit m'a rendue invalide!

Les servantes connaissent cette dernière phrase tellement bien, tellement intimement, qu'elles l'articulent en même temps que leur patronne, murmurant la formule à l'unisson comme si elles participaient à une sorte de cérémonie religieuse bizarre et mystérieuse.

C'est donc cette scène qui se déroule dans la maison de Mme LaVaughn ce soir-là, lorsque quelqu'un frappe à la porte et que le majordome apparaît devant Hans Ickman pour annoncer qu'il y a dehors un policier qui attend et que ce policier insiste fortement pour parler à Mme LaVaughn.

— À une heure pareille? s'étonne Hans Ickman.

Il suit pourtant le majordome jusqu'à la porte où se trouve, en effet, un policier, un homme de petite taille doté d'une moustache ridiculement grosse. Le policier s'avance, s'incline et dit :

— Bonsoir. Je suis Léo Matienne. Je travaille au service de police de Sa Majesté. Je ne suis toutefois pas ici par devoir. Je suis plutôt venu présenter à Mme LaVaughn une requête personnelle des plus inusitées.

— Mme LaVaughn ne peut pas être dérangée, déclare Hans Ickman. Il est tard et elle est accablée de douleur.

— S'il vous plaît, fait une petite voix.

Hans Ickman aperçoit alors un garçon qui se tient derrière le policier. Il a un chapeau de soldat à la main.

— C'est important, ajoute le garçon.

Le serviteur regarde le garçon dans les yeux et se revoit, encore jeune et capable de croire aux miracles, debout avec ses frères au bord de la rivière ; il revoit la petite chienne blanche suspendue en l'air.

— S'il vous plaît, répète le garçon.

Et subitement, le nom de la petite chienne blanche revient à la mémoire d'Hans Ickman. Rose. Elle s'appelait Rose. Et le seul fait de s'en souvenir lui donne l'impression de poser la pièce manquante d'un casse-tête. Il sent une certitude formidable l'envahir. *L'impossible*, se dit-il, *l'impossible est sur le point de se produire à nouveau.*

Il regarde au-delà du policier et du garçon, dans l'obscurité qui règne derrière eux. Il voit quelque chose tourbillonner dans l'air. Un flocon. Puis un autre. Et un autre.

— Entrez, dit Hans Ickman en ouvrant tout grand la porte. Vous devez entrer à présent. Il commence à neiger.

La neige, en effet, commence à tomber. Il neige sur toute la ville de Baltèse.

La neige tombe sur les ruelles sombres et sur les nouvelles tuiles du toit remis à neuf de l'opéra. Les flocons s'accumulent sur les tourelles de la prison et sur le toit des appartements La Polonaise. À la demeure de la comtesse Quintette, la neige souligne la courbe gracieuse de la poignée de la porte de l'éléphante et à la cathédrale, elle forme des chapeaux très chics quoique légèrement ridicules sur la tête des gargouilles qui, accroupies toutes ensemble, contemplent la ville de haut avec dégoût et envie.

La neige danse autour des cercles de lumière que produisent les lampadaires bordant les larges boulevards de la ville de Baltèse. La neige tombe

en un rideau blanc tout autour du bâtiment sombre et rebutant qu'est l'orphelinat des Sœurs de la Lumière perpétuelle, comme si elle travaillait très fort pour soustraire l'endroit à la vue des gens.

Enfin, la neige tombe.

Pendant que la neige tombe, Bartok Whynn fait un rêve.

Il rêve de sculptures. Il rêve qu'il exécute le travail qu'il connaît et qu'il aime : faire surgir des personnages de la pierre. Sauf que dans son rêve, il ne sculpte pas des gargouilles, mais des êtres humains. L'un d'eux est un garçon qui porte un chapeau, un autre est un homme moustachu et un autre encore est une femme assise, avec un homme qui se tient au garde-à-vous derrière elle.

Chaque fois qu'un nouveau personnage apparaît sous ses doigts, Bartok Whynn est stupéfait et profondément ému.

— Vous, dit-il en travaillant, et vous, et vous. Et vous.

Il sourit.

Et comme il s'agit d'un rêve, les gens qu'il a sculptés dans la pierre lui sourient en retour.

Pendant que la neige tombe, sœur Marie, qui est assise près de la porte de l'orphelinat des Sœurs de la Lumière perpétuelle, rêve elle aussi.

Elle rêve qu'elle vole très haut au-dessus du monde, ses vêtements largement déployés de chaque côté de son corps, telles des ailes sombres.

Elle est très contente, car elle a toujours cru, secrètement, du fond du cœur, qu'elle pouvait voler. La voici maintenant en train de faire ce dont elle se savait capable depuis longtemps et elle doit reconnaître que cela est extrêmement gratifiant.

Quand sœur Marie contemple le monde qui s'étale sous elle, elle aperçoit des millions et des millions d'étoiles et elle se dit : *Je ne vole pas au-dessus de la Terre. Ma foi, je vole plus haut que cela. Je vole au-dessus des plus hautes étoiles. Je suis en train de contempler le ciel d'en haut.*

Puis, elle comprend que non, non, elle survole bien la Terre et ce qu'elle aperçoit, ce ne sont pas des étoiles, mais les créatures du monde. Ces créatures émettent toutes, chacune d'elles — les mendiants, les chiens, les orphelins, les rois, les éléphants, les soldats — des lumières frémissantes.

Toute la création brille.

Le cœur de sœur Marie se gonfle dans sa poitrine et il se gonfle tant que cela lui permet de voler de plus en plus haut... mais peu importe à quelle hauteur elle vole, elle ne perd jamais de vue la Terre lumineuse qui se trouve en dessous d'elle.

— Oh, laisse échapper sœur Marie à voix haute dans son sommeil, assise sur sa chaise près de la porte, comme c'est magnifique. Je savais cela, n'est-ce pas? Oui. Oui, je le savais. Je le savais depuis le début.

Chapitre seize

Hans Ickman pousse le fauteuil roulant de Mme LaVaughn et Léo Matienne tient Pierre par la main. Tous les quatre se déplacent rapidement dans les rues enneigées. Ils se dirigent vers la demeure de la comtesse.

— Je ne comprends pas, dit Mme LaVaughn. C'est tout à fait contraire aux règles.

— Je crois que le moment est venu, répond Hans Ickman.

— Le moment? Quel moment? Le moment de faire quoi? s'impatiente Mme LaVaughn. Ne me parlez pas par énigmes.

— Le moment que vous retourniez à la prison.

— Mais nous sommes en plein milieu de la nuit et la prison est par là, proteste Mme LaVaughn en balançant derrière elle sa main parée de lourds bijoux. La prison se trouve exactement dans la direction opposée.

— Nous devons d'abord aller chercher autre chose, dit Léo Matienne.

— Et quelle est donc cette chose? demande Mme LaVaughn.

— Nous devons sortir l'éléphante de la maison de la comtesse, explique Pierre, et la conduire au magicien.

— Sortir l'éléphante? répète Mme LaVaughn. Sortir l'éléphante? La conduire au magicien? Est-il fou? Ce garçon est-il fou? Le policier est-il fou? Êtes-vous tous devenus fous?

— Oui, répond Hans Ickman au bout d'un long moment. Je crois bien que c'est le cas. Nous sommes tous devenus un peu fous.

— Oh, très bien! commente Mme LaVaughn.
Je vois.

Puis ils restent tous silencieux : la noble dame
et son serviteur, le policier et le garçon qui marche
à ses côtés. On n'entend que le bruit du fauteuil
roulant qui se déplace dans la neige et celui, feutré,
des trois paires de pieds qui foulent les pavés
enneigés.

Finalement, c'est Mme LaVaughn qui brise le
silence.

— Tout à fait contraire aux règles, déclare-
t-elle, mais plutôt intéressant, très intéressant
même. Tiens, on dirait que n'importe quoi pourrait
arriver, absolument n'importe quoi.

— Exactement, approuve Hans Ickman.

À la prison, le magicien fait les cent pas dans sa
petite cellule.

— Et s'ils réussissent? se dit-il. S'ils
réussissent, d'une façon ou d'une autre, à conduire
l'éléphante jusqu'ici? Dans ce cas, je n'aurai pas

le choix. Je devrai prononcer la formule. Je devrai essayer d'exécuter le tour encore une fois. Je devrai travailler à la renvoyer d'où elle vient.

Le magicien cesse d'arpenter la pièce, lève les yeux, regarde par sa fenêtre... il est surpris d'apercevoir les flocons qui dansent dans l'air, les uns derrière les autres.

— Oh, regardez ! s'écrie-t-il même s'il est seul. Il neige... Comme c'est beau !

Le magicien reste debout, parfaitement immobile. Il observe la neige qui tombe.

Et soudain, il ne se soucie plus du tout de devoir effacer la plus grande chose qu'il ait faite de toute sa vie.

Il a été tellement seul, tellement horriblement et désespérément seul pendant si longtemps. Il pourrait très bien passer le reste de sa vie en prison, tout seul. Il comprend alors que ce qu'il désire maintenant est à la fois beaucoup plus simple et beaucoup plus compliqué que le tour de magie qu'il a exécuté. Ce qu'il désire, c'est se tourner vers quelqu'un, lui prendre les mains, lever les yeux vers le ciel et s'émerveiller avec cette personne devant la neige qui tombe du ciel.

— Ceci, désire-t-il dire à quelqu'un qu'il aime et qui l'aime en retour. Ceci.

Pierre, Léo Matienne, Hans Ickman et Mme LaVaughn se tiennent devant la demeure de la comtesse Quintette ; ils fixent tous la porte de l'éléphante, massive et imposante.

— Oh, laisse échapper Pierre.

— Nous allons cogner, déclare Léo Matienne. Voilà par où nous allons commencer : nous allons cogner.

— Oui, approuve Hans Ickman. Nous allons cogner.

Tous trois s'avancent et se mettent à cogner à la porte.

Le temps s'arrête.

Pierre a l'impression terrible que toute sa vie se résume à ce moment : se tenir debout, cogner et demander à être introduit dans un lieu dont il n'était même pas sûr, jusque-là, qu'il existât vraiment.

Ses doigts sont froids. Ses jointures l'élancent. La neige tombe plus fort et plus dru.

— C'est peut-être un rêve, dit Mme LaVaughn depuis son fauteuil. Toute cette histoire n'est peut-être rien d'autre qu'un rêve.

Pierre se souvient de la porte dans le champ de blé. Il se souvient d'Adèle dans ses bras. Puis, il se souvient du regard terrible et bouleversant de l'éléphante.

— S'il vous plaît! crie-t-il. S'il vous plaît, laissez-nous entrer.

— S'il vous plaît! crie à son tour Léo Matienne.

— Oui, enchaîne Hans Ickman, s'il vous plaît.

De l'autre côté de la porte, on entend alors le grincement d'un verrou qui est tiré. Puis un autre grincement et un autre encore. Et lentement, comme si elle le faisait avec réticence, la porte commence à s'ouvrir. Un petit homme courbé apparaît. Il sort sur le trottoir, jette un coup d'œil à la neige qui tombe et rit.

— Oui, dit-il. Vous avez cogné?

Puis, il rit à nouveau.

* * *

Bartok Whynn rit encore plus fort quand Pierre lui explique le but de leur visite.

— Vous voulez... ha, ha, hiii... sortir l'éléphante d'ici pour... ha, ha, hiii, hiiiii... la conduire au magicien en prison afin qu'il exécute le tour nécessaire pour la renvoyer... hiiiii... chez elle?

Il est secoué d'un si grand rire qu'il en perd l'équilibre et qu'il doit s'asseoir dans la neige.

— Qu'y a-t-il de si drôle? demande Mme LaVaughn. Vous devez nous le dire, afin que nous puissions rire avec vous.

— Vous pouvez rire avec moi, répond Bartok Whynn, à condition que vous trouviez drôle de... ha, ha, hiii... m'imaginer mort. Imaginez que la comtesse s'éveille demain matin et qu'elle découvre que son éléphante a disparu et que moi, Bartok Whynn, je suis celui qui... ha, ha, hiii... a permis à la bête de se volatiliser?

Le petit homme est secoué d'un accès d'hilarité si fort que son rire disparaît et qu'aucun son ne sort plus de sa bouche ouverte.

— Et si vous n'étiez plus là, vous non plus?

suggère Léo Matienne. Et si, vous aussi, vous aviez disparu au matin?

— Quoi donc? dit Bartok Whynn. Qu'avez-vous... ha, ha, hiii... dit?

— J'ai dit, répète Léo Matienne, et si vous, tout comme l'éléphante, étiez parti pour l'endroit où, après tout, vous êtes censé être?

Bartok Whynn fixe tour à tour Léo Matienne, Hans Ickman, Pierre et Mme LaVaughn. Ils sont tous parfaitement immobiles et ils attendent. Lui aussi se tient immobile et les dévisage, tous rassemblés ici sous la neige qui tombe.

Et c'est dans ce silence qu'il les reconnaît enfin.

Ce sont les personnages de son rêve.

Dans la salle de bal de la comtesse Quintette, quand l'éléphante ouvre les yeux et qu'elle voit le garçon debout devant elle, elle n'est pas surprise du tout.

Elle se dit simplement : *Toi. Oui, toi. Je savais que tu viendrais me chercher.*

Chapitre dix-sept

C'est la neige qui éveille le chien. Il lève la tête. Il renifle l'air.

La neige, oui. Mais une autre odeur flotte aussi, l'odeur de quelque chose de gros et de sauvage.

Iddo se lève. Il reste aux aguets et agite la queue.

Il jappe. Puis il jappe à nouveau, plus fort.

— Chuuut, fait Tomas.

Mais le chien ne veut pas se taire.

Quelque chose d'incroyable s'approche. Il en est absolument sûr. Quelque chose de merveilleux est sur le point de se produire et il sera celui qui l'annoncera à tous. Il jappe et jappe et jappe encore.

Il met tout son cœur à la tâche pour livrer le message.

Iddo jappe.

Là-haut, dans le dortoir de l'orphelinat des Sœurs de la Lumière perpétuelle, Adèle entend le chien japper. Elle sort de son lit, avance jusqu'à la fenêtre, regarde dehors et voit la neige danser, tourbillonner et virevolter dans la lumière du lampadaire.

— La neige, dit-elle, comme dans mon rêve.

Elle appuie ses coudes sur le rebord de la fenêtre et contemple le monde qui se couvre peu à peu de blanc.

Et c'est alors, à travers le rideau de neige qui tombe, qu'Adèle aperçoit l'éléphante. La bête descend la rue. Elle suit un garçon. Il y a également un policier, un homme qui pousse une femme en fauteuil roulant et un petit homme penché sur le côté. Le mendiant est avec eux, ainsi que le chien noir.

— Oh ! fait Adèle.

Elle ne doute pas un instant de ce qu'elle voit. Elle ne se demande pas si elle rêve. Elle tourne simplement le dos à la fenêtre et s'éloigne en courant sur ses pieds nus, dévale l'escalier sombre qui mène à la grande salle, puis court jusqu'à l'entrée où elle passe devant sœur Marie, endormie sur sa chaise. Elle ouvre tout grand la porte de l'orphelinat.

— Ici ! crie-t-elle. Je suis ici !

Le chien noir s'élance dans la neige et court vers elle. Il bondit en rond autour d'elle en jappant, en jappant et en jappant encore.

C'est comme s'il disait : « Enfin, tu es là. Nous t'attendions. Et voici que, enfin, tu es là. »

— Oui, dit Adèle au chien. Je suis là.

Le courant d'air venant de la porte ouverte

réveille sœur Marie.

— La porte n'est pas verrouillée! crie-t-elle. La porte n'est jamais, au grand jamais, verrouillée. Il suffit de cogner.

Une fois complètement éveillée, sœur Marie constate que la porte est, en fait, grande ouverte et qu'au-delà de la porte, dans l'obscurité, il neige. Elle se lève de sa chaise, s'avance jusqu'à la porte pour la refermer et aperçoit un éléphant dans la rue.

— Ma parole! s'écrie sœur Marie.

C'est alors qu'elle voit Adèle, pieds nus et en chemise de nuit, debout dans la neige.

— Adèle! appelle sœur Marie. Adèle!

Mais ce n'est pas Adèle qui se retourne pour la regarder. C'est un garçon avec un chapeau dans les mains.

— Adèle? répète-t-il.

Il prononce le nom comme s'il s'agissait à la fois d'une question et d'une réponse, et son visage s'illumine de bonheur.

À vrai dire, c'est tout son être qui s'illumine,

comme l'une des étoiles si brillantes du rêve de
sœur Marie.

Il prend Adèle dans ses bras parce qu'il neige,
qu'il fait froid, qu'elle est nu-pieds et parce qu'il
a promis à leur mère, il y a très longtemps, qu'il
prendrait toujours soin d'elle.

— Adèle, dit-il. Adèle.

— Qui es-tu? demande la fillette.

— Je suis ton frère.

— Mon frère?

— Oui.

Elle lui sourit, d'un doux sourire incrédule qui
tourne subitement à un sourire de certitude, puis
de joie.

— Mon frère, dit-elle. Comment t'appelles-tu?

— Pierre.

— Pierre, répète-t-elle.

Puis à nouveau :

— Pierre. Pierre. Et tu as amené l'éléphante.

— Oui, dit Pierre. Je l'ai amenée. Ou alors c'est
elle qui m'a guidé, mais peu importe, c'est du pareil

au même et c'est exactement ce que la diseuse de bonne aventure avait dit.

Il rit et se retourne.

— Léo Matienne, crie-t-il, c'est ma sœur !

— Je sais, répond Léo Matienne. Je vois.

— Qui est-ce? demande Mme LaVaughn. Qui est cette fillette?

— C'est la sœur du garçon, répond Hans Ickman.

— Je ne comprends pas, réplique alors Mme LaVaughn.

— C'est l'impossible, explique Hans Ickman. L'impossible s'est encore produit.

Sœur Marie franchit la porte ouverte de l'orphelinat des Sœurs de la Lumière perpétuelle et avance dans la rue enneigée. Elle s'immobilise à côté de Léo Matienne.

— Après tout, c'est une chose merveilleuse de rêver à un éléphant et de voir ensuite le rêve se réaliser, dit-elle à Léo.

— Oui, répond Léo Matienne, oui, ce doit être merveilleux.

Bartok Whynn, qui se tient près de la religieuse et du policier, ouvre la bouche pour rire et s'aperçoit qu'il en est incapable.

— Je dois... commence-t-il. Je dois...

Mais il ne parvient pas à finir sa phrase.

Pendant ce temps, l'éléphante reste plantée dans la neige qui tombe et elle attend.

C'est Adèle qui se rappelle sa présence et qui dit à son frère :

— L'éléphante a sûrement froid. Où s'en va-t-elle ? Où la conduis-tu ?

— Chez elle, répond Pierre. Nous la conduisons chez elle.

Chapitre dix-huit

Pierre marche devant l'éléphante. Il porte Adèle dans ses bras. Léo Matienne marche à ses côtés. Derrière l'éléphante, il y a Mme La Vaughn qu'Hans Ickman pousse dans son fauteuil roulant, lequel est suivi par Bartok Whynn, puis du mendiant, Tomas, qui avance avec Iddo sur les talons. À la toute fin se trouve sœur Marie qui, pour la première fois en cinquante ans, n'est pas à la porte de l'orphelinat des Sœurs de la Lumière perpétuelle.

Pierre les guide et, tandis qu'il chemine parmi

les rues enneigées, il voit chaque lampadaire, chaque porte, chaque arbre, chaque barrière, chaque brique s'approcher et lui parler. Tous les objets du monde deviennent des sujets d'émerveillement qui lui murmurent la même chose. Chaque objet lui rappelle les paroles de la diseuse de bonne aventure et cet espoir qu'il nourrissait dans son cœur, lequel, après tout, s'est concrétisé : elle est vivante, elle est vivante, elle est vivante.

Et elle l'est! Son souffle est chaud sur la joue de Pierre.

Elle ne pèse rien.

Pierre pourrait facilement la porter dans ses bras pour l'éternité.

L'horloge de la cathédrale sonne minuit. Quelques minutes après la dernière note, le magicien entend la grande porte extérieure de la prison s'ouvrir, puis se refermer. Des bruits de pas résonnent dans le corridor. Un cliquetis de clés les accompagne.

— Qui est là? crie le magicien. Annoncez-vous!

Personne ne répond; il n'y a que les bruits de pas et la lueur de la lanterne. Puis le policier apparaît. Il se plante devant la cellule du magicien, soulève les clés et dit :

— Ils vous attendent dehors.

— Qui? demande le magicien. Qui m'attend?

Incrédule, son cœur bat la chamade.

— Tout le monde, répond Léo Matienne.

— Vous avez réussi? Vous avez amené l'éléphante ici? Et Mme LaVaughn aussi?

— Oui, répond le policier.

— Miséricorde! s'écrie le magicien. Oh, miséricorde! À présent le sort doit être renversé. À présent, je dois essayer de renverser le sort.

— Oui, à présent, tout repose sur vos épaules, approuve Léo.

Il insère la clé dans la serrure, la tourne et ouvre la porte de la cellule du magicien.

— Venez, dit Léo Matienne. Nous vous attendons tous.

Il y a autant de magie à faire disparaître les choses qu'il y en a à les faire apparaître. Peut-être même plus encore. La disparition est presque toujours plus difficile que l'apparition.

Le magicien le sait parfaitement et c'est pourquoi, lorsqu'il sort dans la nuit froide, sous la neige, libre pour la première fois depuis des mois, il ne ressent aucune joie. Au contraire, il a peur. Et si sa nouvelle tentative échouait encore?

C'est alors qu'il aperçoit l'éléphante dans toute sa magnificence, toute sa réalité, qui attend dans la neige.

Elle est tellement invraisemblable, tellement belle, tellement magique!

Mais peu importe, il faut le faire. Il doit essayer.

— Regarde, dit Mme LaVaughn à Adèle qui est maintenant installée, bien emmitouflée et au chaud, sur les genoux de la noble dame. Le voici. Voici le magicien.

— Il n'a pas l'air d'un méchant homme, dit

Adèle. Il a l'air triste.

— Oui, enfin, je suis invalide, répond Mme LaVaughn, et cela, je peux te l'assurer, est bien pire que la tristesse.

— Madame, dit le magicien.

Il se détourne de l'éléphante et s'incline devant Mme LaVaughn.

— Oui? lui dit-elle.

— Je voulais faire apparaître des lis, déclare le magicien.

— Peut-être ne comprenez-vous pas, réplique Mme LaVaughn.

— S'il vous plaît, intervient Hans Ickman, je vous en prie! Parlez avec votre cœur.

— Je voulais faire apparaître des lis, continue le magicien, mais sous l'emprise d'un désir désespéré de faire quelque chose d'extraordinaire, j'ai invoqué une magie plus puissante et je vous ai causé, par mégarde, un grand tort. Je vais maintenant tenter de défaire ce que j'ai fait.

— Marcherai-je à nouveau? demande Mme LaVaughn.

186

— Je ne crois pas, répond le magicien, mais je vous prie de me pardonner. J'espère que vous me pardonnerez.

Elle le regarde.

— Sincèrement, je n'avais pas l'intention de vous faire du mal, ajoute-t-il. Cela n'a jamais été mon intention.

Mme LaVaughn renifle. Elle détourne le regard.

— S'il vous plaît, les interrompt Pierre, l'éléphante. Il fait si froid, elle a besoin de retourner chez elle, là où il fait chaud. Pourriez-vous exécuter votre tour de magie maintenant?

— Très bien, répond le magicien.

Il s'incline une nouvelle fois devant Mme LaVaughn. Puis il se tourne vers l'éléphante.

— Vous devez vous éloigner, tous, reculez. Reculez.

Pierre pose sa main sur l'éléphante. Il la laisse sur l'animal pendant un moment.

— Je suis désolé, dit-il à la bête. Et je vous remercie pour ce que vous avez fait. Merci et au revoir.

Puis il s'éloigne d'elle, lui aussi.

Le magicien se met à marcher en cercle autour de l'éléphante et à marmonner pour lui-même. Il songe à l'étoile qu'il voyait depuis la fenêtre de sa cellule de prison. Il songe à la neige qui tombe enfin et à quel point il désirait partager ce moment avec quelqu'un. Il songe au regard de Mme LaVaughn plongé dans le sien, le questionnant et espérant.

Il se met alors à prononcer les mots de la formule magique. Il prononce les mots en sens inverse et il prononce la formule en sens inverse, elle aussi. Il la prononce en entier, à voix basse, avec l'espoir ferme que cela va bel et bien fonctionner, et avec la conscience aussi qu'il y a une limite, après tout, à ce que même des magiciens peuvent faire disparaître.

Il prononce la formule.

La neige cesse de tomber.

Soudain, le ciel se dégage comme par miracle et, pendant un moment, les étoiles (trop pour qu'on puisse les compter) brillent de tous leurs feux. Au milieu d'elles, la planète Vénus luit

solennellement.

C'est sœur Marie qui leur fait remarquer :

— Regardez là-haut, dit-elle. Regardez.

Elle désigne le ciel. Tous lèvent les yeux : Bartok Whynn, Tomas, Hans Ickman, Mme LaVaughn, Léo Matienne, Adèle.

Même Iddo lève la tête.

Seul Pierre garde les yeux rivés sur l'éléphante et sur le magicien qui continue à marcher en cercle autour d'elle en marmonnant en sens inverse les mots d'une formule en sens inverse censée la renvoyer chez elle.

C'est ainsi que Pierre est le seul à la voir disparaître. Il est le seul à être témoin du plus grand tour de magie que le magicien ait jamais exécuté.

L'éléphante est là, puis elle n'y est plus.

C'est aussi simple que cela.

Dès qu'elle a disparu, les nuages réapparaissent, les étoiles redeviennent invisibles et il recommence à neiger.

Il est incroyable que l'éléphante, arrivée avec

autant de fracas dans la ville de Baltèse, la quitte maintenant dans un silence aussi profond. Quand elle disparaît enfin, il n'y a aucun bruit à la ronde excepté le *tic-tic-tic* de la neige qui tombe.

Iddo lève le museau en l'air et renifle. Il émet un jappement grave et perplexe.

— Oui, lui dit Tomas, partie.

— Ah! bien, commente Léo Matienne.

Pierre se penche et examine les quatre traces de pas circulaires imprimées dans la neige.

— Elle est réellement partie, dit-il. J'espère qu'elle est chez elle.

Quand il relève la tête, il croise le regard d'Adèle qui l'observe avec de grands yeux ronds et étonnés.

Il lui sourit.

— Chez elle, dit-il.

Elle lui sourit en retour, de ce même sourire empreint d'abord d'incrédulité et enfin de joie.

Le magicien s'effondre sur ses genoux et plonge sa tête dans ses mains tremblantes.

— C'est fini, c'est bien fini. Je suis désolé.

Sincèrement, je suis désolé.

Léo Matienne empoigne le magicien par le bras et le remet debout.

— Allez-vous le remettre en prison? demande Adèle.

— Il le faut, répond Léo Matienne.

Mme LaVaughn prend alors la parole. Elle dit :

— Non, non. C'est absurde après tout, n'est-ce pas?

— Quoi? fait Hans Ickman. Qu'avez-vous dit?

— J'ai dit qu'il serait absurde de le remettre en prison. Ce qui est arrivé est arrivé. Je renonce. Je ne porterai pas plainte. Je signerai tous les documents nécessaires à cet effet. Laissez-le partir. Laissez-le partir.

Léo Matienne lâche le bras du magicien; celui-ci se tourne vers Mme LaVaughn et s'incline :

— Madame, dit-il.

— Monsieur, dit-elle.

Ils le laissent s'éloigner.

Ils regardent son manteau noir s'évanouir peu à peu dans les tourbillons de neige. Tous ensemble, ils le suivent des yeux jusqu'à ce qu'il ait complètement disparu.

Une fois qu'il est parti, Mme LaVaughn sent soudainement un gros poids battre des ailes et se détacher d'elle. Elle éclate de rire. Elle entoure Adèle de ses bras et la serre fort.

— L'enfant a froid, dit-elle. Nous devrions rentrer.

— Oui, approuve Léo Matienne. Rentrons.

Et c'est ainsi, après tout, que l'histoire se termine.

Tout en douceur.

Dans un monde rendu feutré par la touche légère et indulgente de la neige.

Chapitre dix-neuf

Quand il vient en visite, Iddo se couche devant le foyer.

Et Tomas chante.

Ces deux-là ne restent jamais très longtemps.

Mais ils rendent visite à Léo, à Gloria, à Pierre et à Adèle assez souvent pour que ceux-ci apprennent à chanter, en chœur avec Tomas, ses chansons étranges et jolies qui parlent d'éléphants, de vérité et de nouvelles formidables.

Souvent, un coup provenant de l'appartement du grenier se fait entendre quand ils chantent.

Habituellement, c'est Adèle qui gravit l'escalier pour demander à Vilna Lutz ce qu'il veut. Il ne parvient jamais à lui répondre tout à fait. Il réussit seulement à lui dire qu'il a froid et qu'il aimerait qu'on ferme la fenêtre ; parfois, quand il est sous l'emprise d'une fièvre particulièrement forte, il permet à Adèle de s'asseoir à ses côtés et de lui tenir la main.

— Nous devons contourner l'ennemi ! crie-t-il alors. Où, mais où donc est mon pied ?

Puis, désespéré, il ajoute :

— Je ne peux pas la prendre. Sincèrement, c'est impossible. Elle est trop petite.

— Chuuut, fait Adèle. Là, là.

Elle reste jusqu'à ce que le vieux soldat s'assoupisse, puis elle redescend l'escalier et va retrouver Gloria, Léo et son frère qui l'attendent.

Chaque fois, quand elle revient, Pierre a l'impression qu'elle est partie très longtemps. À sa vue, son cœur bondit très fort dans sa poitrine et il se sent à nouveau étonné et fou de joie, et il se rappelle, encore une fois, la porte de son rêve et le champ de blé doré. Toute cette lumière et voici qu'Adèle paraît devant lui : en lieu sûr, au chaud et entourée d'amour.

Après tout, il avait, un jour, promis à sa mère que les choses seraient ainsi.

Le magicien devient gardien de chèvres et il épouse une femme qui n'a pas de dents. Elle l'aime et il l'aime, et ils vivent ensemble, avec leurs chèvres, dans une cabane installée au pied d'une colline abrupte. Parfois, les soirs d'été, ils grimpent la colline, se tiennent l'un contre l'autre et observent les constellations qui ornent le ciel nocturne.

Le magicien montre à sa femme l'étoile qu'il contemplait si souvent lorsqu'il était prisonnier, l'étoile qui, il en est sûr, l'a gardé en vie.

— C'est celle-là, dit-il en la désignant. Non, c'est plutôt celle-là.

— Cela ne fait aucune différence, Frédéric,

lui dit gentiment sa femme. Elles sont toutes magnifiques.

Et elles le sont.

Le magicien n'a plus jamais fait de tour de magie.

L'éléphante connaît une vie très longue. Et, malgré ce que l'on dit à propos des éléphants et de leur mémoire phénoménale, la bête n'a aucun souvenir de toute cette histoire. Elle ne se souvient ni de l'opéra, ni du magicien, ni de la comtesse, ni de Bartok Whynn. Elle ne se souvient même pas de la neige qui tombait si mystérieusement du ciel. Peut-être tout cela est-il trop douloureux pour qu'elle s'en souvienne. Ou alors, peut-être est-ce devenu simplement un affreux cauchemar qu'il vaut mieux oublier.

Cependant, il lui arrive parfois, tandis qu'elle marche parmi les herbes hautes ou qu'elle se tient à l'ombre des arbres, de voir le visage de Pierre apparaître devant ses yeux l'espace d'une seconde, et elle est alors frappée du sentiment singulier d'avoir bel et bien été vue, d'avoir enfin été trouvée et sauvée.

Dans ces moments-là, l'éléphante éprouve de la reconnaissance, même si elle ne sait pas envers qui, ni pour quelle raison.

Non seulement l'éléphante oublie la ville de Baltèse et ses habitants, mais ceux-ci, à leur tour, effacent l'éléphante de leur mémoire. Sur le coup, sa disparition cause un vif émoi, puis l'incident tombe dans l'oubli. Dans l'esprit des gens, l'éléphante devient un fait étrange et incroyable qui s'efface peu à peu. Bientôt, plus personne ne parle de son arrivée miraculeuse ou de sa disparition inexplicable ; d'ailleurs, toute cette histoire semble trop invraisemblable pour être véridique ou pour s'être réellement produite.

Chapitre vingt

Mais elle s'est réellement produite.

Et une petite preuve de ces événements fantastiques subsiste.

Tout en haut de la plus belle cathédrale de la ville, cachée parmi les gargouilles lugubres et hargneuses, se trouve la sculpture d'une éléphante menée par un garçon. Le garçon porte une fillette dans ses bras et l'une de ses mains est posée sur l'éléphante, alors que derrière l'animal marchent un magicien et un policier, une religieuse et une noble dame, un serviteur, un mendiant, un chien et, enfin, derrière eux, à la fin du cortège, un petit homme courbé.

Chaque personnage touche l'autre, chacun est en contact avec celui qui le précède et chacun regarde vers l'avant, la tête penchée dans un angle tel qu'on dirait qu'ils fixent tous une lumière vive.

S'il vous arrive un jour de passer par la ville de Baltèse, et si, une fois sur place, vous interrogez suffisamment de gens, vous trouverez — je le sais, j'en ai la certitude — quelqu'un qui pourra vous y mener, quelqu'un qui sera capable de vous montrer le chemin jusqu'à la cathédrale, jusqu'à cette preuve sculptée dans la pierre que Bartok Whynn a laissée à cet endroit, tout là-haut.

Remerciements

Ces personnes ont marché à mes côtés
lors d'une longue nuit d'hiver :
Tracey Bailey, Karla Rydrych,
Lisa Beck, Jane St. Anthony,
Cindy Rogers, Jane O'Reilly,
Jennifer Brown, Amy Schwantes,
Emily van Beek et Holly McGhee.
Je leur suis redevable pour toujours.